LA INVASIÓN DE LAS NADIE

CHRISTOPHER PIKE

FANTASVILLE

LA INVASIÓN DE LAS NADIE

Barcelona • Bogotá • Buenos Aires • Caracas • Madrid • México D. F.
Montevideo • Quito • Santiago de Chile

Título original: *Spooksville # 15: Invasion of the No-Ones*

Traducción: M.ª José Galilea

1.ª edición: junio, 1998

Impreso en España - Printed in Spain
ISBN: 84-406-8534-3
Depósito legal: B. 23.204-1998

Impreso por CREMAGRAFIC, S.A.

Cubierta: Lee MacLeod/Bernstein & Andriulli, Inc.

Realización de cubierta: Estudio EDICIONES B

1

La pandilla había hecho una nueva amiga; se llamaba Tira Jones y era guapísima. Era tan bonita que a Sally Wilcox y a Cindy Makey, que la habían conocido hacía apenas dos horas, ya les caía mal.

Bueno, quizá «mal» fuese una palabra demasiado fuerte, ya que Sally y Cindy eran lo bastante maduras —al menos eso se dijeron— para sentirse amenazadas por la belleza de otra chica. Sin embargo también eran lo bastante sinceras para admitir que ambas se sentían un poco celosas de Tira.

La nueva amiga del grupo tenía una melena negra tan brillante que parecía de seda. Sus ojos eran de un azul increíble, oscuros como el cielo al anochecer y cristalinos como un lago de montaña. Aunque era más bajita que Sally y Cindy, se desenvolvía con mucha seguridad, sin llegar a parecer autoritaria.

La habían conocido a la entrada de la heladería favorita del grupo; todos se quedaron impresionados por su timidez, su voz aterciopelada y sus buenos modales. Watch, que parecía especialmente hechizado por la muchacha, la invitó a pasear con ellos en bicicleta por las colinas de las afueras de Fantasville, el pueblo donde vivían, pero fue Tira quien propuso ir al pantano. Según les contó, no era del todo nueva en Fantasville, ya que había vivido allí años atrás.

—¿Dónde? —preguntó Sally por tercera vez de camino hacia el embalse, que no estaba muy lejos de la Cueva Embrujada o del lugar donde habían aterrizado los extraterrestres. De hecho era el pantano donde vencieron a los Monstruos de Hielo, rociando el agua con petróleo y prendiéndole fuego. Tras el incendio, el embalse aún seguía allí, aunque ahora sólo contenía agua maloliente incapaz de alojar a ninguna criatura viva. Había algo muy misterioso en aquel embalse y sus alrededores: quizá por ese motivo Tira quería ir allí con ellos.

Tira se limitó a encogerse de hombros ante la pregunta de Sally. Llevaban dos horas juntos y todavía no sabían casi nada sobre aquella chica.

—Viví en el pueblo hace años, cuando era pequeña —explicó Tira.

—¿Por qué habéis vuelto? —preguntó Adam Freeman. Aunque era bajito y relativamente nuevo en el lugar, se había convertido en el líder natural de la pandilla, por más que él insistiera en desmentirlo.

—A causa del trabajo de mi padre —respondió Tira con una sonrisa encantadora al tiempo que se encogía de hombros.

—¿Dónde trabaja tu padre? —le preguntó Watch, probablemente el más listo de la pandilla, aunque nunca dejaba que la gente se diera cuenta de ello. Le llamaban Watch porque siempre llevaba cuatro relojes. Nadie sabía su verdadero nombre y tampoco si él lo recordaba.

—En el pueblo —contestó Tira—. No estoy segura del lugar.

—Tienes que saber dónde trabaja —protestó Sally, la más directa del grupo. Tenía el pelo castaño oscuro y llevaba un flequillo que siempre le cubría los ojos. Era más bien alta, y le encantaba incordiar a Cindy y avergonzar a Adam. Sin embargo, era muy leal y valiente; había salvado la vida de sus amigos en varias ocasiones. A continuación añadió—: ¿Cómo es que no lo sabes? Fantasville no es muy grande.

—El empleo de mi padre es un secreto —comentó Bryce Poole—. No tengo ni idea de dónde trabaja ni de qué hace.

Al igual que Watch, Bryce poseía una inteligencia prodigiosa, pero no se esforzaba en disimularla, aunque tampoco hacía gala de ella, ya que en realidad no era tan creído como algunos integrantes de la cuadrilla, por ejemplo Sally, suponían. En otras palabras, Bryce era un enigma que aún no habían conseguido descifrar. Él también había demostrado en varias ocasiones su lealtad, por lo que los miembros de la pandilla habían acabado por considerarlo uno más del grupo.

—Mi madre trabaja en el pueblo de secretaria en J&B Constructores —explicó Cindy Makey—. Le encanta su empleo, aunque su tarea consiste en escribir en el ordenador y preparar café. —Cindy tenía los ojos azules y una melena rubia. Al igual que Adam, era nueva en el pueblo. Estaba loca por él, lo que Adam ignoraba, aunque había intentado decírselo por lo menos una docena de veces. Cindy era la que tenía un carácter más dulce, salvo cuando se peleaba con Sally; entonces se ponía hecha una fiera.

—Lo que ocurre es que no hablo con mi padre de lo que hace —dijo Tira con calma.

—¿Dónde vives? —preguntó Sally.

—Cerca del centro —respondió Tira.

—¿En qué calle? —continuó Sally. Habían conocido a Tira en plena calle.

Tira bajó la cabeza, como si estuviera pensando en la respuesta.

Watch acudió en su ayuda.

—No creo que esté bien agobiar a Tira con tantas preguntas. Después de todo, acaba de llegar. No tiene por qué contarnos su vida en una tarde.

—Yo prefiero saber desde el principio con quién trato —dijo Sally—. Recuerda que no hemos tenido mucha suerte con los desconocidos.

—Sally, qué maleducada eres —le espetó Cindy.

—Ya sabes cómo es este pueblo —contraatacó Sally—. Es mejor ser maleducado que estar muerto. ¿Os acordáis de aquella chica con la que nos topamos una vez? La que me transformó en gato en plena noche.

—Tan sólo intentaba hacernos un favor, Sally —repuso Cindy con una sonrisa de suficiencia.

—Estoy convencido de que Tira no ha venido aquí para hacernos daño —terció Adam con tono conciliador. También él estaba hechizado por aquella desconocida silenciosa, que parecía irradiar una luz propia y que ahora había alzado la cabeza para dedicarle una sonrisa.

—Chicos, conozco el pueblo tan bien como vosotros —dijo Tira—. Dejémoslo en que vivo en una casa encantada. Quizá pronto os invite a merendar.

—¿Tienes hermanos? —preguntó Cindy.

—Sí, tengo una familia muy numerosa —le contestó Tira bajando de nuevo la cabeza.

Estaban a mediados de noviembre y en Fantasville no se había producido ninguna tormenta importante desde que aparecieron los Monstruos de Hielo, aunque aquel sábado por la tarde había refrescado mucho y el cielo aparecía cubierto de nubarrones negros. Llevaban un buen rato paseando en bicicleta en dirección al embalse y, como los días eran cada vez más cortos, tendrían que apresurarse a tomar el camino de vuelta si no querían que les pillase la noche a medio trayecto, lo que nunca era buena idea en Fantasville, ya que después de la puesta de sol uno se exponía a que le ocurriera cualquier calamidad.

Sin embargo, Tira estaba empeñada en seguir con la excursión. Señaló una colina que se encontraba a bastante distancia del embalse, donde no había más que unos pocos árboles esmirriados que se habían salvado del fuego que prendió Adam para destruir a los Monstruos de Hielo.

—Hacía mucho tiempo que no venía por aquí —comentó Tira—. Me encantaría ir hasta allí con las bicis.

—Allí no hay nada —repuso Sally—. En la zona del embalse no crece gran cosa. Propongo que regresemos. Se está haciendo tarde.

—No sería mala idea comenzar la retirada —propuso Adam.

—¿Qué quieres ver allí? —preguntó Watch a Tira.

La muchacha se encogió de hombros y contestó:

—No me apetece volver a casa todavía, pero tampoco quiero obligaros a que os quedéis conmigo. Iré yo sola.

—En este pueblo no es buena idea hacer nada solo —advirtió Cindy.

—Me quedo contigo —declaró Watch, mientras se colocaba a su lado—. Yo tampoco tengo ganas de regresar todavía.

—Vaya —dijo Sally con un suspiro—. Parece que nadie piensa volver a casa de momento. En fin, veamos qué hay en aquella colina y acabemos con esto de una vez.

Mientras pedaleaban alrededor de las silenciosas aguas del embalse, Tira les preguntó por la señora Ann Templeton, la bruja de Fantasville, de quien todavía se acordaba.

—No sabemos qué pensar de ella —comentó Adam—. Nos ha ayudado en los momentos de peligro, pero en varias ocasiones ha estado a punto de matarnos. Creo que en el fondo es una buena persona.

—Pues yo no —refunfuñó Sally.

—¿La has tratado alguna vez? —preguntó Watch a Tira.

—Sí —contestó Tira.

—¿Qué ocurrió? —preguntó Cindy.

—Trató de asesinarme —le contestó Tira.

—Imposible —intervino Adam.

—Es perfectamente capaz —opinó Sally asintiendo con la cabeza.

—¿Qué sucedió exactamente? —preguntó Watch con curiosidad. Estaba claro que le gustaba Tira, pero también le caía bien la bruja, ya que tiempo atrás la señora Templeton le había ayudado a recuperar un poco de visión. De hecho las gafas que llevaba estaban encantadas y le permitían ver casi tan bien como cualquiera de sus amigos, pero continuaba siendo un poco duro de oído.

—Fue hace mucho tiempo —comentó Tira, y comenzó a temblarle el labio inferior. Acto seguido dirigió la mirada hacia el embalse—. Prefiero no hablar de eso.

Nadie insistió, y continuaron pedaleando hasta el otro lado del embalse. Poco antes de llegar hasta los árboles de la colina, Adam se detuvo de pronto y señaló con el dedo hacia el cielo.

—¿Qué es eso? —susurró.

A poco menos de nueve metros, un grupo de esferas luminosas de unos dos palmos de diámetro y diversos colores flotaba en el aire. Aunque se movían despacio, no resultaba fácil contarlas, ya que chocaban entre sí y se unían para formar una nueva esfera. Adam calculó que habría una veintena. Sus amigos se habían detenido y miraban al cielo con asombro.

—Nunca había visto nada igual —dijo Sally—, y creía que ya lo había visto todo.

—¿Alguien se ha fijado de dónde han salido? —preguntó Cindy.

—Hace un momento no estaban ahí —aseguró Bryce con firmeza—. No he apartado la vista de los árboles en todo el rato.

—Pero deben de haber salido de algún lugar —objetó Adam—. ¿Watch?

—Quizá sean rayos de forma esférica —conjeturó Watch arrugando la frente—. Es un fenómeno que se produce algunas veces durante las tormentas, si las condiciones son las adecuadas. El rayo no se descarga en forma de flecha, sino de esfera.

—Pero si no hay tormenta —objetó Sally.

—Es verdad —asintió Watch—. Quizá se trate de una especie de emanación de gas de un pantano.

—No hay ningún pantano por aquí —protestó Sally.

—Mirad, chicos —les dijo Watch con cierta irritación—, sólo intento daros una explicación razonable. En realidad, yo tampoco tengo ni idea de lo que son.

—En todo caso no parecen peligrosas —comentó Cindy—. Son demasiado bonitas para serlo.

—Ha hablado la sabiduría —le replicó Sally con un suspiro—. Cindy, en principio cualquier cosa que sea extraña es también peligrosa. Propongo que nos alejemos de aquí y no miremos atrás.

Las esferas luminosas de pronto quedaron

inmóviles sobre los árboles. Adam se volvió hacia Tira, que las contemplaba en silencio.

—¿Habías visto algo parecido alguna vez? —preguntó.

—Una vez —respondió mientras asentía con la cabeza—. Hace mucho tiempo.

—¿Sabes qué son? —preguntó Watch con sorpresa.

—No —le contestó, y luego bajó la vista.

—¿Dónde las viste? —preguntó Sally, que desconfiaba de la muchacha.

—Allí —dijo Tira y se volvió hacia Sally—. En ese mismo lugar.

—¿Por eso querías venir aquí? ¿Sabías que estarían? —preguntó Watch con delicadeza.

—No sé qué son —dijo Tira.

—Pero ¿sabes si son peligrosas? —preguntó Cindy.

—Me parece que no.

—¿Qué pasó la última vez que aparecieron? —preguntó Sally.

—Nada —se limitó a responder Tira.

—Me encantaría verlas más de cerca —declaró Bryce—. Si han venido a Fantasville, tendríamos que averiguar qué son.

—De acuerdo —dijo Sally—. Tú te encargas de investigar.

—O vamos todos o no va nadie —intervino Adam—. Watch y yo le acompañaremos.

—Oh, estupendo —replicó Sally con sarcasmo—. Que sólo los chicos se arriesguen, ¿no? Claro, crees que somos demasiado cobardes para acompañaros, ¿verdad? Piensas que vosotros, los chicos fuertes, tenéis que protegernos.

—Cierra la boca —interrumpió Cindy—. Adam tiene razón. No me asustan esas luces, aunque no sé muy bien por qué. Propongo que vayamos todos para observarlas de cerca.

—¿Quieres acercarte? —preguntó Watch a Tira.

—¿Por qué no? —dijo con voz suave al tiempo que contemplaba las esferas luminosas.

2

Mientras se acercaban, las bolas no se movieron, no de una manera evidente, por lo menos. Se situaron casi debajo de ellas. De hecho, podrían haberse puesto debajo si hubieran querido o, mejor dicho, si se hubieran atrevido. Levantaron la cabeza para contemplarlas mejor.

—Me pregunto si saben que estamos aquí —susurró Cindy.

—Supones que se dan cuenta de algo —dijo Bryce—, pero lo dudo. Lo más probable es que se trate de un fenómeno natural.

—Pues a mí no me parece que tengan un aspecto muy natural —replicó Sally.

—Tal vez tengan algo parecido a la conciencia —murmuró Adam—. Quizá sean inteligentes. Quizá procedan de otro planeta o de otra dimensión. En todo caso, es posible que no tengan sentidos tal como los entendemos los humanos, es decir, nada con lo que ver u oír. ¿Crees que es posible, Watch?

—Sí —contestó su amigo—. No parecen haber reaccionado ante nuestra presencia, aunque cuando nos acercábamos tuve la impresión de que un par de esferas aumentaba un poco su luminosidad.

—¿Cuáles? —preguntó Sally.

Watch señaló dos que se encontraban cerca de ellos y parecían mantenerse inmóviles junto a un árbol.

—Esas dos comenzaron a brillar con más fuerza cuando nos aproximamos —le explicó Watch—. Incluso me pareció que se movían un poco.

—¿Hacia nosotros? —preguntó Sally.

—Así es —corroboró Watch—. Sólo un poco. —Se volvió hacia Tira—. ¿Hicieron algo parecido la vez que las viste?

—Sí —respondió Tira en voz baja, con la vista clavada en las esferas.

—¿Y si les arrojamos una piedra para ver qué pasa? —propuso Sally.

—Ni se te ocurra —exclamó Cindy con determinación—. Podrían ser seres vivos. No somos unos bárbaros.

—No te eches piropos —rezongó Sally.

—Fijaos, en el centro brillan unas chispas que apenas se ven —observó Bryce—. Parecen cargadas de electricidad. Quizá tengan algo que ver con los rayos.

—Pero si no ha caído ningún rayo —dijo Sally.

—Aquí no —replicó Bryce—, pero quizá los globos se hayan formado sobre el mar. Es posible que sea una tormenta de esferas.

—Esto no es una tormenta de esferas —afirmó Tira con decisión.

—¿Cómo puedes estar tan segura? —inquirió con sorpresa Watch, que no se había apartado en ningún momento de su lado.

—Ya lo verás —le contestó Tira mientras echaba a andar hacia la esfera más cercana.

Los demás observaron con asombro cómo se situaba debajo de la bola luminosa y la miraba fijamente. Al principio no ocurrió nada, pero cuando puso los brazos en cruz en un gesto de bienvenida la esfera comenzó a moverse hacia ella. A Adam no le gustó nada aquello, así que dio un salto hacia delante y apartó hacia un lado a Tira en el instante en que el resplandor se disponía a tocarla. Como resultado, la esfera lo rozó a él, y sucedió algo increíble.

Se produjo un gran destello blanco y por un momento Adam pareció estar hecho de luz. Sus compañeros podían ver a través de él. Tenía iluminados los huesos, los órganos internos e incluso la sangre que le corría por las venas; era como si contemplaran su cuerpo a través de una pantalla de rayos X. Nadie tuvo conciencia de cuánto duró aquel prodigio, aunque sin duda sólo unos segundos.

La esfera resplandeciente no se había limitado a rozar a Adam, sino que se había metido en él. Por esta razón Sally, que enseguida había cogido una piedra para arrojarla, no tenía nada contra lo que lanzarla. El ataque —si es que había sido eso— provenía del interior, no del exterior.

Adam había quedado petrificado en la misma postura que había adoptado para apartar a Tira, que por su parte contemplaba cómo el muchacho se volvía cada vez más luminoso, hasta el punto de que ya no se distinguían sus órganos internos, sino que todo él era una gran bola de fuego abrasador. Mientras que el intenso resplandor no parecía deslumbrar a Tira, el resto de la pandilla había tenido que entrecerrar los ojos y protegérselos con las manos.

Todo ocurría tan deprisa que nadie tuvo tiempo de pensar en la manera de ayudar a Adam. Incluso Sally acabó por dejar caer la piedra al suelo para taparse los ojos.

De repente la luz se desvaneció, y Adam se desplomó. Todos se acercaron a él corriendo, excepto Tira.

—¡Adam! —exclamó Cindy al tiempo que le ponía de espaldas.

Por un momento el chico permaneció con la vista perdida, luego tosió y masculló algo que sus amigos no acertaron a entender; en todo caso, «no» fue la primera palabra que pronunció. Watch le cogió la muñeca izquierda para tomarle el pulso.

—El corazón le late a toda velocidad —refunfuñó Watch con gesto grave.

—El mío también —dijo Sally—. Al menos está vivo. Vamos a incorporarlo.

—Será mejor que no lo movamos —advirtió Bryce—. Si ha recibido una descarga eléctrica, hay que abrigarlo y dejarlo tendido, sin moverlo en absoluto.

—Necesita un médico —observó Cindy—. Que alguien vaya al pueblo para pedir una ambulancia.

Sally echó una ojeada a Watch, que asintió con la cabeza, e inquirió:

—¿No querrás pedir una ambulancia en Fantasville? El hospital es más bien un banco de donantes de órganos. Si vas allí, siempre tratan de sacarte algún que otro órgano para luego venderlo en el mercado negro.

—No me lo creo —exclamó Cindy.

—El año pasado Terry Falcon, un amigo nuestro —terció Watch asintiendo con la cabeza— fue al hospital a que le operaran de las amígdalas y le extrajeron un riñón y el hígado.

—Pero es imposible vivir sin el hígado —replicó Cindy.

—¿Y quién te ha dicho que Terry está vivo? —le repuso Sally con gravedad—. Creo que Watch está de acuerdo conmigo en que es mejor que nosotros mismos cuidemos a Adam. De todos modos seguramente Bryce tiene razón, no deberíamos moverlo.

Sally se acercó a Adam y lo miró a los ojos, en los que brillaba una suave luz blanca.

—¿Adam? ¿Me oyes, Adam?

El muchacho movió los labios, pero no podía hablar.

—Creo que está bajo los efectos de la descarga —conjeturó Bryce—. Habría que mojarle la frente con un poco de agua.

—No querrás que utilicemos el agua del embalse; está maldita.

—Qué estupidez —observó Cindy—. Todo el pueblo bebe de esa agua, es la que sale del grifo.

—¿Acaso no te advertimos que sólo bebieras agua embotellada? —le recordó Sally con una mirada sombría—. Oh, no, lo más seguro es que tú también tengas algo.

—Yo también bebo de esa agua y me encuentro la mar de bien —dijo Watch. A continuación se levantó, rasgó un jirón de la parte inferior de la camiseta y lo sumergió en el embalse antes de acercarse de nuevo a Adam, que seguía con la vista perdida, aunque por fortuna la respiración se le había normalizado y el corazón le latía más lentamente. Mientras le aplicaba el paño mojado a la frente, Watch preguntó a Tira—: ¿Ocurrió algo parecido la vez que viste las esferas luminosas?

—Las luces han desaparecido —murmuró Tira.

Todos miraron con sorpresa alrededor.

—¡Es cierto! —exclamó Sally—. ¿Dónde habrán ido?

—Pero ¿de dónde han venido? —preguntó Watch con amargura—. Tira, no me has contestado. ¿Las bolas de luz atacaron a alguien como han hecho con Adam?

—No lo sé —contestó Tira con vacilación.

—¿Qué significa que no lo sabes? —inquirió Sally—. Lo hicieron o no lo hicieron. Adam no se encuentra bien y no sabemos cómo ayudarlo. Cualquier cosa que sepas, Tira, podría servirnos.

—No sé cómo ayudarlo —confesó Tira bajando la cabeza para mirar a Adam—. De todos modos creo que no hay por qué preocuparse. Ya veréis como se recupera dentro de unos minutos.

—Después de la descarga que ha recibido, me temo que no —repuso Watch.

Minutos más tarde comprobaron que Tira estaba en lo cierto: Adam comenzó a parpadear y miró alrededor. Su rostro recuperó el color y ya no tenía la mirada perdida. Los observó con asombro.

—¿Qué ha ocurrido? —preguntó.

—¿No te acuerdas? —preguntó Cindy.

Adam se incorporó con la ayuda de Watch, ya que todavía tenía el cuerpo un poco agarrotado.

—¿De qué tengo que acordarme? —preguntó Adam.

—Una de esas esferas luminosas te rozó —explicó Sally— y entonces te iluminaste como un árbol de Navidad. Vimos tu cuerpo por dentro, incluso los huesos; son asquerosos. Ha sido una visión repugnante.

—¿Me estáis tomando el pelo? —inquirió Adam parpadeando.

—Es cierto, esa luz se metió en tu cuerpo —intervino Cindy mientras le hacía un masaje en el hombro—. ¿No recuerdas una luz brillante? Nos deslumbró a todos.

—Me acuerdo de las esferas de luz —dijo Adam mirando hacia los árboles y el embalse—, y también de que corrí hacia Tira, nada más. —Se interrumpió unos segundos para contemplar el cielo—. ¿Dónde están?

—No lo sabemos —respondió Watch al tiempo que le ayudaba a ponerse en pie—. Desaparecieron después de que esa bola de luz se te metiera dentro.

Adam miró a su amigo.

—No se metió dentro de mí —replicó—. No digas eso. No es cierto.

—Pero tú no sabes lo que ocurrió —observó Cindy—. Acabas de afirmar que no te acuerdas de nada.

—En todo caso sé que, sea lo que sea lo que

haya sucedido, ya ha pasado y estoy bien —repuso Adam—. Volvamos al pueblo. —Dio media vuelta y, mientras echaba a andar, propuso a sus compañeros—: Olvidemos lo que ha ocurrido.

Todos se preguntaron por qué había dicho eso.

3

Al día siguiente, la pandilla esperó largo rato a Adam en la heladería, pues los domingos acostumbraban a desayunar juntos. El caso es que Adam no se presentó y tampoco Tira, a pesar de que la habían invitado. Cindy y Sally estaban preocupadas.

—Me parece que a Adam le ha afectado la descarga eléctrica más de lo que cree —observó Cindy—. Ayer, cuando regresábamos al pueblo, apenas si habló.

—Me temo que aquella esfera luminosa hizo algo más que darle la corriente —comentó Sally.

—Es extraño que desaparecieran justo después de atacar a Adam —dijo Bryce.

—Sin embargo no sabemos si de hecho fue un ataque —matizó Watch—. Hay que averiguar si esas esferas son algo más que un simple fenómeno natural.

—Creo que ayer mismo tuvimos la prueba de que no lo son —le recordó Sally—. Todos vimos cómo un globo luminoso se acercaba a Tira cuando extendió los brazos.

—Sí —confirmó Cindy—. Daba la impresión de que Tira lo atraía hacia sí.

—Os estáis pasando —comentó Watch.

—Watch —exclamó Cindy—, abre los ojos y límpiate el polvo de las gafas. Todos sabemos que te gusta la chica y por qué; es guapa y muy simpática, no lo niego, pero no olvides que fue la señorita Tira quien nos condujo a aquel lugar justo antes de que aparecieran las esferas de luz, y que luego admitió haberlas visto antes.

—Es cierto —concedió Watch—, pero deberías tener presente que no nos mintió en ningún momento. Le preguntamos por las esferas y nos contó todo lo que sabía.

—No nos dijo gran cosa —comentó Bryce con cautela—. Adivinó que Adam se recuperaría de la descarga, pero se negó a decirnos cómo lo había sabido.

—No me fío de ella —reconoció Cindy entre dientes.

—¿Por qué? —inquirió Watch un tanto enfadado, algo poco habitual en él—. ¿Sólo porque no contestó a todas nuestras preguntas? ¿Porque acaba de llegar a Fantasville?

—No es nueva aquí —corrigió Sally—. Acordaos que nos dijo que ya había vivido en el pueblo, aunque no precisó cuándo. Es más, tampoco quiso explicarnos dónde vive ahora. ¿Por qué? Creo que nos oculta algo.

—Quizá sea un poco reservada —comentó Watch—. Al fin y al cabo, acaba de conocernos. ¿Por qué tendría que contarnos toda su vida? Somos unos desconocidos para ella. Estoy seguro de que vosotros habríais actuado igual en su lugar.

Cindy comprendió que Watch trataba de proteger a Tira, y le pareció una actitud muy noble.

Sin embargo, consideraba que su amigo debía escuchar las opiniones de los demás. Antes de comenzar a hablar, le tomó de la mano.

—Desconfiamos de Tira porque ayer pasamos mucho miedo al ver lo que le ocurría a Adam —informó Cindy—. Todavía no sabemos si ella tuvo algo que ver, directa o indirectamente, en lo sucedido; pero sí sabemos que Adam no ha venido, y tampoco ella. Al menos deberías reconocer, Watch, que es lógico que la chica nos parezca sospechosa.

Watch parecía dolido. Mientras miraba por la ventana, comentó:

—Nadie resultó herido. Lo más probable es que Adam esté durmiendo para recuperarse de lo que le ocurrió ayer.

—Ése es el problema, que no tenemos ni idea de lo que le sucedió —replicó Sally.

—Es inútil continuar discutiendo —opinó Bryce mientras se ponía en pie—. Vamos a buscar a Adam para ver cómo se encuentra. También deberíamos hablar con Tira. Tal vez la explicación del episodio de ayer sea más simple de lo que creemos.

—Lo dudo —repuso Sally mientras todos se levantaban.

Cuando sonó el timbre de su casa, Adam abrió la puerta. Parecía recién levantado; vestía una camiseta y unos pantalones de pijama, y tenía los ojos enrojecidos. No se alegró de verlos. Estaba solo porque sus padres y su hermana pequeña solían ir a misa los domingos por la mañana.

—¿Qué ocurre? —preguntó.

—Queríamos saber cómo te encontrabas —le respondió Cindy—. Te hemos echado de menos en el desayuno.

—No me apetecía ir —explicó Adam tras un bostezo—. No pasa nada.

—¿Has notado algo raro después de lo que te ocurrió ayer? —preguntó Sally.

—Ayer no ocurrió nada —dijo Adam entre aburrido e irritado—. Os dije que lo olvidarais.

—No es algo fácil de olvidar —observó Bryce—. Recibiste una descarga fortísima cuando te rozó la esfera luminosa, y seguro que te ha afectado de algún modo.

—¿Cómo supones que me ha afectado? —inquirió Adam con la vista fija en Bryce—. ¿Acaso me ves diferente? ¿Me ha cambiado de color la piel?

—Tu aspecto físico no ha cambiado, es verdad. —Bryce lo observó atentamente y luego añadió con franqueza—: Sin embargo hay algo diferente en ti, Adam.

—¿Qué?

—Estás desagradable —contestó Bryce—. El Adam que yo conozco nunca se comporta así. Creo que lo de ayer te ha influido más de lo que crees.

—Es que me habéis sacado de la cama —se justificó Adam entre risas—. ¿Acaso eso no os pondría de mal humor? Mirad, estoy cansado. Quizá tengáis razón y todavía no me he recuperado de la descarga de ayer. —Comenzó a cerrar la puerta mientras decía—: ¿Por qué no os vais y me dejáis dormir un poco más?

Sally puso la mano en la puerta para impedir que la cerrara.

—Espera un momento. Somos tus amigos. No puedes darnos con la puerta en las narices así como así. Quiero preguntarte algo.

—¿De qué se trata? —inquirió Adam con un suspiro de impaciencia.

—¿Has visto a Tira hoy?

—No —respondió Adam secamente.

—¿Estás seguro? —intervino Cindy.

—Sí. ¿Cómo quieres que haya visto a Tira? Acabo de levantarme. No sé ni dónde vive ni su número de teléfono. ¿Por qué me preguntas por ella?

—Mera curiosidad —contestó Sally con tono reflexivo—. Muy bien, Adam, te dejaremos dormir, y sentimos haberte molestado.

—Tranquilos —murmuró Adam antes de cerrarles la puerta en las narices.

De momento lo único que podían hacer

era dejarlo en paz, de modo que decidieron dirigirse al centro.

—Nunca había visto a Adam comportarse así —comentó Cindy con inquietud.

—Seguro que no se ha recuperado del todo de lo que le ocurrió ayer —observó Bryce.

—¿Acaso sabemos si va a recuperarse? —preguntó Sally—. Quizá lo suyo vaya a peor. ¿Os fijasteis en que, un par de segundos antes de que se le metiera la esfera en el cuerpo, los ojos le brillaban con una luz blanca?

—Eso es imposible —replicó Watch.

—Sabes tan bien como yo que en este pueblo nada es imposible —exclamó Sally con brusquedad—. Y deja de proteger a Tira. Uno de tus mejores amigos está en apuros.

—Tira no tiene nada que ver con todo esto —repuso Watch—. La esfera luminosa entró en Adam, no en ella.

—¿Y quién provocó que la esfera bajara de los árboles? —preguntó Sally.

—Debemos hablar con ella —sugirió Cindy—. A ver si nos aclara algo.

El único problema era que ignoraban dónde vivía la misteriosa Tira.

4

Pocos minutos después la pandilla se separó. Watch se ofreció a buscar a Tira y aseguró que, si la encontraba, los avisaría enseguida. Bryce no explicó adónde iba, y las chicas se marcharon a casa.

Hacía apenas unos minutos que Cindy había llegado a la suya cuando Sally la telefoneó.

—Quiero volver a la casa de Adam —anunció Sally.

—¿Por qué? —preguntó Cindy—. Es evidente que quiere estar solo.

—No pretendo hablar con él otra vez —explicó Sally—, sino espiarlo, ver qué hace, y me gustaría que me acompañaras.

—Eso no está bien. Adam es nuestro amigo.

—Por eso mismo debemos seguirlo. Le ocurre algo extraño, no cabe duda.

—Pero ¿y si no sale de casa? —preguntó Cindy.

—Entonces no tendremos que seguirlo.

—¿Por qué me has telefoneado a mí? —inquirió Cindy intrigada—. No te caigo bien. ¿Por qué no has llamado a Watch o a Bryce?

—Watch está tan obsesionado por encontrar a Tira que no piensa en otra cosa; creo que esa chica lo ha embrujado. Bryce me pone nerviosa cuando se comporta a lo James Bond y cree que debe salvar el mundo.

—Antes te caía bien.

—¡Y me cae bien! Y tú también, pero procuro que no se me note.

—¿Por qué no? —preguntó Cindy con curiosidad.

—Porque creo que te conviene ser humilde. De ese modo tal vez consigas convertirte en la gran persona que Bryce necesita a su lado.

—¿Te burlas de mí?

—A medias. Bueno, ¿vienes o no?

—¿Cómo vigilaremos la casa? —preguntó Cindy.

—Ya planearemos algo cuando lleguemos allí —respondió Sally.

Quedaron en encontrarse al cabo de diez minutos en la calle donde residía Adam. Cuando llegaron a su casa, Sally tuvo la sensación de que ya su amigo había salido.

—¿Cómo lo sabes? —inquirió Cindy.

—Vivir en Fantasville me ha agudizado la intuición —explicó Sally—. La intuición me ha ayudado a conservar la vida durante estos años. De todos modos tal vez me equivoque. Será mejor que echemos un vistazo por las ventanas.

Avanzaron con sigilo hacia un lado de la vivienda y se asomaron a la ventana de la habitación de Adam, pero no vieron a nadie. Luego miraron por las de la cocina y el salón; la casa parecía desierta. Al final llamaron a la puerta y, en efecto, nadie contestó.

—Qué extraño —susurró Cindy—. Parecía tan cansado... Debió de salir poco después de que nos marcháramos.

—Eso no es extraño. Lo raro es el modo en que se comporta. Ya sabía yo que estaba deseando deshacerse de nosotros.

—¿Por qué?

—Me temo que la esfera luminosa lo ha cambiado —le susurró Sally al oído.

—¿En qué sentido? —inquirió Cindy.

—Sospecho que han poseído su alma.

—Eso es ridículo. No creo en esos cuentos chinos.

—Cindy, en este pueblo la posesión es más habitual que el resfriado. Creo que cuando la esfera luminosa entró en Adam, le introdujo en el cerebro una especie de espora alienígena o alguna asquerosidad por el estilo. Seguro que la próxima vez que lo veamos, la espora se habrá transformado en un capullo del que pronto saldrá una criatura horrible.

—¡Qué imaginación tienes!

—Además, creo que Tira tiene la culpa. Me parece que trabaja para esas bolas luminosas.

—Pero Tira no es un monstruo horrible —protestó Cindy—. Es una chica de carne y hueso, y muy guapa. ¿No será que estás celosa?

—Nunca he tenido celos de alienígenas. Mira, en lugar de hablar, deberíamos encontrar a Adam y detener su transformación antes de que sea demasiado tarde.

—Vete a saber dónde se ha metido —replicó Cindy.

Sally señaló hacia la pared de la casa junto a la cual Adam aparcaba la bicicleta.

—Mira, se ha llevado la bici, de modo que tenía pensado ir a algún sitio un poco lejos. Supongo que habrá ido al embalse. Será mejor que cojamos nuestras bicis si queremos alcanzarlo.

—¿Por qué crees que ha vuelto allí? —preguntó Cindy.

—No lo sé; para estar en comunión con las esferas luminosas, quizá. Es una simple conjetura, pero parece lógica. —Tras una pausa, añadió—: Pensándolo bien, tal vez resulte peligroso; más vale que nos acompañe uno de los chicos.

—¿No sueles decir que tú y el peligro sois viejos amigos? —le recordó Cindy entre risas—. Creo que nos las apañaremos bien solas. Estamos hablando de Adam; él nunca nos haría daño, por mucho que haya cambiado.

—Tal vez ya no sea Adam —observó Sally con preocupación.

Aunque el trayecto hasta el embalse fue duro porque todo el camino era cuesta arriba, no se detuvieron para descansar. Cuando alcanzaron la última colina, pensaron que el esfuerzo había sido en vano; pues no había ni rastro de Adam ni de las esferas luminosas. Entonces Cindy comenzó a incordiar a su compañera.

—Seguro que Adam está todavía en la cama, durmiendo, y no nos ha oído. Ves misterios por todas partes.

—Yo veo la realidad de este pueblo —repuso Sally—. Pocos chicos lo hacen, y no viven para contarlo. El hecho de que no veamos a Adam y los globos luminosos no significa que no estén aquí. Tal vez estén muy cerca de nosotros, agazapados, a punto de tendernos una emboscada.

—No lo creo —replicó Cindy.

En ese mismo instante atacaron a las chicas.

Adam apareció por la cima de una colina cercana, pedaleando muy rápido en dirección hacia ellas. Enseguida advirtieron que no venía con buenas intenciones; su rostro, que no parecía humano, mostraba una expresión extraña, como si estuviera lleno de odio. Peor todavía: de su cuerpo emanaba luz, una especie de aura blanca con reflejos fucsias y morados, y sus ojos resplandecían con un brillo gélido y extraño.

Las chicas lo observaron unos segundos antes de alejarse a toda velocidad en sus bicicletas, pero cada una tomó una dirección opuesta; Sally se fue por donde habían venido y Cindy avanzó hacia el embalse. Sally no tardó en percatarse de que Adam perseguía a su compañera y por un momento experimentó una extraña puñalada de indecisión; la luz que irradiaba Adam era aterradora, y sintió más miedo que nunca en su vida. Con todo, Cindy era su amiga y no podía fallarle...

—No puede enfrentarse sola a ese monstruo —masculló mientras daba media vuelta con la bicicleta para dirigirse hacia ellos.

Cindy se aproximaba a la orilla del embalse y, por desgracia, tenía cada vez más cerca a Adam, a quien el ataque de la esfera luminosa parecía haberle infundido una fuerza sobrenatural, ya que su bicicleta avanzaba a la velocidad de un automóvil. En pocos minutos la alcanzaría, y Sally comprendió que no llegaría a tiempo.

Se encontraban al pie de la colina por la que descendía Sally, que en lugar de seguir por el camino pedaleó a campo traviesa. Detuvo la bici con un gran chirrido de frenos, se apeó y cogió un pedrusco que pesaría un kilo. Era toda una experta en arrojar piedras, pues al vivir en Fantasville había aprendido a defenderse de las criaturas malvadas de esa manera.

El canto fue a parar a los radios de la bicicleta de Adam, que perdió el equilibrio y cayó.

Sally se apresuró a montar de nuevo y descendió por la colina hacia Cindy, que miraba hacia atrás, y, al verla, comenzó a disminuir la velocidad. Sin embargo su amiga le indicó por señas que no la esperase.

—¡No te pares! —exclamó Sally—. Rodea el embalse y vuelve al pueblo.

—¿Qué le ha ocurrido a Adam? —preguntó Cindy a voz en grito.

—¡Te lo dije! —contestó Sally—. ¡Lo han transformado en un monstruo alienígena!

Detrás de ellas, Adam subió a la bicicleta, y todo él comenzó a brillar. No se lanzó en su persecución, lo que sorprendió y preocupó a Sally, porque no acertaba a adivinar qué planeaba el muchacho.

Al final Sally logró alcanzar a Cindy porque era más atlética y porque, a pesar de sus advertencias, ésta había reducido poco a poco la marcha. Quizá fue lo mejor, ya que necesitaban ponerse de acuerdo en la estrategia que debían seguir. Adam permanecía inmóvil, como si aguardara a que rodearan el embalse. De repente las chicas se detuvieron y lo vieron en la otra orilla. Continuaba brillando con una luz inquietante.

—¿A qué espera? —preguntó Cindy.

—A nosotras —contestó Sally sin rodeos.

—¿Qué va a hacernos?

—Seguramente nos robará toda la electricidad del corazón y del cerebro. Después moriremos, nos pudriremos y los buitres nos devorarán.

—Qué pensamiento más agradable —replicó Cindy—. ¿No crees que querrá transformarnos como han hecho con él?

—Esa idea también se me había ocurrido —dijo Sally mientras escudriñaba la zona—, pero no he visto ninguna bola de luz. ¡Oh, no! Me he precipitado. ¡Mira! ¡Detrás de los árboles! ¡Ahí están las esferas! Ahora entiendo qué aguardaba Adam. Los globos avanzan hacia nosotras por detrás, y él pretende cerrarnos el paso por delante.

—¿Qué vamos a hacer? —preguntó Cindy angustiada.

—Que no cunda el pánico.

—¿Por qué no? Estoy aterrada. No quiero que me transformen en un monstruo como Adam.

—Me temo que sólo tenemos una alternativa; o nos abrimos paso por donde está Adam o por donde están las esferas luminosas. ¿Qué prefieres?

—No me gusta ninguna de las dos opciones.

—Cindy —intervino Sally armándose de paciencia—. Estamos en Fantasville, y aquí la única alternativa es siempre entre lo malo y lo peor. Como suele ocurrir, tenemos todas las de perder; es muy posible que dentro de unos minutos estemos muertas o, en todo caso, mucho peor de lo que estamos ahora. De todos modos hay que elegir. No podemos dejarnos vencer por la desesperación y la angustia.

—Cállate —exclamó Cindy de pronto—. Al oírte hablar me siento todavía peor. Tratemos de pasar por donde está Adam. Quizá se acuerde de nuestra amistad y nos permita marcharnos.

—Por la manera en que brilla en estos momentos, dudo de que piense en la amistad, la verdad.

Aun así, se dirigieron hacia Adam, que avanzaba por la orilla del embalse para cortarles el paso. A medida que se acercaba, el aura de luz que lo rodeaba cobraba brillo e intensidad. En su rostro aún se reflejaba una expresión de maldad y no parecía reconocerlas en absoluto. Resultaba difícil creer que esa misma mañana, hacía apenas dos horas, habían charlado con él. Desde luego, no se había mostrado muy simpático, pero por lo menos entonces no parecía que fuera a comérselos. Cindy comenzó a sentir un miedo atroz.

—Está claro que no nos dejará pasar —dijo.

—Una observación muy astuta —replicó Sally.

—Tenemos que intentar hablar con él, hacer que entre en razón.

—Inténtalo tú.

—¡Basta ya! ¿Qué se te ocurre a ti?

—Creo que tendremos que matarlo —respondió Sally con semblante sombrío.

—¿Que? ¿Te has vuelto loca? Es uno de nuestros mejores amigos.

—Tampoco a mí me gusta la idea de matarlo, pero piensa que ya no es Adam, sino un malvado alienígena procedente de una galaxia perdida en el universo. Lo más probable es que se alimente de cerebros humanos en sus tardes libres. Se trata de él o de nosotras, y yo voto por nosotras. Tenemos que sobrevivir para que la humanidad tenga una oportunidad de defenderse de la terrible invasión.

—¿Por qué no le lanzas una piedra y lo dejas inconsciente? Con eso bastaría.

—Lo intentaré —dijo Sally al tiempo que frenaba la bici—, pero no te hagas ilusiones.

—Contigo como compañera, resulta difícil ilusionarse —repuso Cindy después de detenerse—. Cogeremos unas cuantas piedras y le bombardearemos cuando se acerque.

Sally se apeó y comenzó a buscar en el suelo. Las bolas luminosas que avanzaban a su espalda se hallaban a la misma distancia que Adam, que continuaba aproximándose por delante. Se preguntaron quién llegaría antes.

—Ojalá la bruja no nos hubiera quitado la pistola láser que teníamos —exclamó Sally mientras agarraba un pedrusco—. Ahora podríamos usarla.

—Si la tuviéramos, seguramente Adam ya estaría muerto —replicó Cindy.

—Ya te dije que pasaría esto.

—¿Cómo puedes mostrarte tan desalmada como para pensar en matar a Adam? —inquirió Cindy.

Sally comenzó a protestar pero de pronto se interrumpió. Una lágrima le rodaba por la mejilla; se apresuró a enjugársela antes de levantar la cabeza.

—¿Acaso crees que no se me encoge el corazón al ver a nuestro amigo así? —murmuró—. No eres la única persona que lo aprecia, ya lo sabes.

—Sé muy bien que tienes que fingir para conservar tu fama de dura y también me doy cuenta de que estás tan aterrorizada como yo —afirmó Cindy al tiempo que le daba unas palmaditas en la espalda.

—Si salimos vivas de ésta, no se lo digas a nadie, ¿de acuerdo? —pidió Sally.

—Trato hecho. Muchas gracias por haber acudido en mi ayuda. A estas alturas ya estarías en Fantasville; en cambio, has arriesgado tu vida para salvarme. Poca gente haría algo así.

—Soy valiente —reconoció Sally.

Adam se encontraba a apenas setenta metros y no parecía dispuesto a reducir la velocidad. Tenía la expresión de un loco o, peor aún, en sus ojos enrojecidos no se percibía ningún rastro de humanidad. Pedaleaba con la boca abierta y respiraba con dificultad, como una vieja locomotora de vapor. Sally explicó a Cindy que lanzarían los pedruscos cuando el chico se encontrara a unos treinta metros. Cuando sobrepasó tal distancia, iniciaron el ataque.

Las piedras no tocaron a Adam, no porque las chicas apuntaran mal, sino porque, de manera misteriosa, explotaban en el aire, como si se toparan con un campo de fuerzas invisibles, y se transformaban en polvo para formar una nube oscura por la que Adam seguía avanzando. Sally y Cindy retrocedieron un paso instintivamente, aunque no había forma de escapar. El enemigo que las asediaba poseía poderes sobrehumanos.

—Sally —le susurró Cindy con gran angustia—, creo que nos hemos metido en un buen lío.

—Me temo que es una forma muy suave de explicar nuestra situación —dijo Sally con un suspiro.

Adam y las esferas luminosas cada vez estaban más cerca.

5

Mientras tanto, Watch había encontrado por fin a Tira en la playa, donde daba de comer a las gaviotas cerca del espigón, no muy lejos del faro al que habían prendido fuego en la aventura del Fantasma Aullador. La observó durante unos minutos antes de acercarse y quedó maravillado de lo confiados que se mostraban los pájaros. Algunos se le subían a la palma de la mano para comerse las migas de pan que les ofrecía mientras les hablaba con voz suave, y las aves parecían entenderla. Watch no comprendía cómo sus amigos podían sospechar de Tira; de hecho era la muchacha más extraordinaria que había conocido, y eso que por lo general no se dejaba impresionar por las chicas.

Sin contar a Sally y a Cindy, por supuesto.

Watch la llamó mientras se acercaba despacio. Ella levantó la mirada al oírle y le sonrió con cariño. Por un momento pareció que los nubarrones negros que se cernían sobre sus cabezas fueran a desaparecer. Los partes meteorológicos habían anunciado lluvia en los dos últimos días, pero no había caído ni una gota.

Tira se sacudió las manos y avanzó hacia Watch.

—Hola —saludó—. ¿Qué te trae por aquí?

—De hecho, te estaba buscando.

—¿He hecho algo malo? ¿Vas a arrestarme? —Tira parecía contenta de verlo.

Watch se rió con ganas, algo poco habitual en él.

—Los demás creen que eres peligrosa, pero yo sé que eres inofensiva —afirmó Watch.

Al oír ese comentario Tira se puso muy seria y miró hacia los cerros que se encontraban detrás de Fantasville, hacia el embalse.

—¿Por qué no les gusto? —preguntó en un susurro.

—No es que no les gustes. Lo que ocurre es que están preocupados por Adam. Hoy se ha comportado de forma muy extraña y sospechan que se debe a lo que ocurrió ayer. —Hizo una pausa antes de agregar—: Sally y Cindy piensan que nos llevaste a propósito a aquel sitio, que sabías que las esferas luminosas estarían allí.

—¿Y tú qué crees, Watch? —inquirió Tira con una mirada de curiosidad.

—Creo que no tienes nada que ver con esas luces que vimos —respondió Watch cambiando de posición, incómodo con la situación.

Tira dirigió la vista hacia el mar y suspiró.

—Por mucho tiempo que hayas estado ausente de este lugar —dijo—, el mar no cambia nunca. Apuesto a que, aunque pasaran un millón de años, el mar seguiría igual. ¿Tú qué opinas?

—El mar existe desde hace millones y millones de años y no cambiará aunque transcurran otros tantos.

—Siempre está ahí —afirmó Tira con tristeza—, pero la gente, no. Tan pronto como nacemos, comenzamos a envejecer y, al cabo de unos años, nos vamos para siempre, nos transformamos en cenizas que flotan en el aire frío o en polvo enterrado bajo el duro suelo. Quizá deba ser así, no lo sé.

Watch no entendía qué trataba de decirle; sus palabras le parecían muy filosóficas y muy extrañas para una chica tan joven.

—¿Qué te preocupa? —inquirió con delicadeza.

Ella meneó la cabeza.

—¿Por qué me lo preguntas?

—Porque pareces preocupada.

—¿De verdad? Tú también —replicó Tira al tiempo que lo observaba.

—¿Eso crees? —Watch había quedado sorprendido.

—Sí. Te sientes solo. Lo noté en el momento en que te conocí. No te sientes a gusto aquí. Con tus amigos te ocurre algo parecido; los aprecias, pero tienes la impresión de que no formas parte del grupo. —Tira hizo una pausa—. ¿No es cierto?

Watch se sintió turbado.

Era la primera vez que una persona veía en su interior con tanta facilidad. Bajó la cabeza y arrastró los pies.

—Estoy bien —murmuró.

—Seguro que sí —repuso Tira—. Sé que eres valiente. No te importa arriesgar tu vida para proteger la de tus amigos, aunque creo que en parte se debe a que no te gusta tu vida.

—Eso no es cierto —protestó Watch mientras la miraba a los ojos—. Nunca he buscado que me mataran.

—No quiero decir eso, pero algo parecido. Tú eres ajeno a este mundo, Watch. En verdad no perteneces a él. Lo sabes muy bien, porque has tenido esa sensación toda tu vida.

Lo curioso era que estaba en lo cierto.

—¿Cómo has adivinado todo eso? —preguntó.

—Porque yo era como tú —contestó con una ligera sonrisa—. Antes, cuando vivía aquí, me sentía sola en medio de la multitud, pero ya no me ocurre; ahora no estoy sola nunca. ¿Sabes a qué me refiero?

—No. Me estás confundiendo, Tira.

—Tira —susurró para ella—. Sí... ése era mi nombre, hace mucho tiempo. Todavía lo utilizo cuando me hace falta.

—¿Qué quieres decir? ¿Cuándo viviste aquí?

La muchacha dirigió de nuevo la vista al mar, a las olas que rompían en la orilla de la playa.

—Una parte de mí es tan vieja como el mar. Otra parte de mí tiene la misma edad que tú. Sin embargo, mi cuerpo no envejece.

—Hablas en clave, Tira. —Watch se rió sin ganas—. Sabes muy bien que no eres inmortal.

La chica posó la mirada en los ojos de Watch.

—¿Estás seguro?

Watch observó que de pronto el rostro de su amiga resplandecía, no sólo debido a su buen aspecto; Tira brillaba desde dentro, irradiaba luz, como una esfera luminosa.

—Hay algo diferente en ti —reconoció Watch.

—Sí.

—¿Es verdad que eres de Fantasville?

—Sí y no.

—¿Qué significa eso? Eres o no eres de aquí.

Tira negó con la cabeza.

—La verdad es mucho más complicada que sí o no, blanco o negro, bueno o malo. —Dio un paso hacia Watch y le puso una mano en el pecho—. Soy mucho más complicada de lo que parezco.

Watch sintió la fuerza de su mano, la energía que emanaba de sus dedos, y quiso retroceder pero no pudo. Incluso era incapaz de apartar la vista de los ojos de Tira, que brillaban como dos espejos idénticos que reflejaran la fría luz de las estrellas.

—¿Eres humana? —balbuceó.

—Sí, soy humana —respondió Tira con una sonrisa triste—, y sin embargo, soy más que humana. Me gustaría contártelo todo, Watch; lo necesito.

Watch trató de retroceder de nuevo, pero no pudo. Al final logró levantar el brazo y se esforzó por apartar de sí la mano de la chica, pero fue inútil; no parecía hecha de carne y hueso, sino de pura energía.

—¿Por qué? —murmuró el chico.

—Porque te he elegido a ti.

—¿Para qué? —preguntó Watch muerto de miedo.

—Para que vengas conmigo —le contestó con la vista clavada en Watch, envolviéndolo con su energía—. Para que seas como yo.

6

En ese mismo momento, Bryce Poole se encontraba sentado a la gran mesa de madera del castillo de la señora Ann Templeton. Había ido allí después de despedirse de sus amigos porque Tira había insinuado que las esferas luminosas no eran un fenómeno del todo nuevo en Fantasville, y nadie conocía el pasado del pueblo tan bien como la bruja. Con todo, había meditado mucho antes de dar el peligroso paso de pedir ayuda, porque a la señora Ann Templeton sólo le gustaba echar una mano cuando estaba segura de que iba a correr sangre. Tenía unas ideas un tanto peculiares acerca del bien y del mal.

Sin embargo, Bryce la admiraba por sus poderes y su gran perspicacia. Por ello, no le sorprendió que le abriera la puerta antes de que él hubiera llamado, ya que siempre adivinaba cuándo iba a recibir una visita.

Aquel día vestía una túnica blanca que arrastraba por el suelo cuando caminaba. Llevaba suelta su negra y larga cabellera y adornaba su pálido cuello con una gargantilla de brillantes perlas de color azabache con una forma tan perfecta que a Bryce se le escapó preguntar de dónde las había sacado.

La bruja jugueteó con ellas un momento y luego contestó:

—No pertenecen a este mundo.

—Y usted, ¿pertenece a este mundo? —se atrevió a inquirir el muchacho.

—Ya sabes que nací aquí —contestó encogiéndose de hombros—. Lo sabe todo el mundo, y tú estás muy bien informado. ¿Por qué lo preguntas?

—Se rumorea que usted, de hecho, procede de otro sistema celeste, o que al menos sus padres provienen de otro planeta.

—¿Tú te crees esas historias? —preguntó la bruja.

—Prefiero no creer nada, es lo mejor.

—Bien dicho —le dijo con una sonrisa—. Las creencias tienen un límite; la fe, no. ¿No lo sabías?

—No. Tal vez tenga razón, pero para mí la fe es una actitud ciega, irracional.

—El amor también es ciego —le replicó la bruja—; ¿acaso crees que por eso no es racional?

—Nunca lo había pensado —respondió Bryce con expresión reflexiva—. Es que soy muy joven para estar enamorado.

—Sin embargo dentro de ti hay amor. También tú sufres de cierta clase de ceguera, señor Poole, y eso me encanta. Además, me gusta que hayas tenido las agallas de venir hasta aquí. ¿Qué te preocupa?

—Probablemente ya lo sabe —contestó Bryce al cabo de unos segundos.

—Es cierto, pero dímelo igualmente.

—¿Es verdad que puede leer el pensamiento? —preguntó Bryce.

—Sí. De hecho sólo es preciso estar callado por dentro para oír hablar a las otras mentes, pero ahora no es el momento de impartir lecciones sobre telepatía. Te preocupa Adam.

—Sí. Ayer, cuando paseábamos en bicicleta por el embalse, nos encontramos con esas extrañas bolas luminosas. Una entró en su cuerpo, y Adam se quedó inconsciente durante un minuto. Desde entonces está raro.

La señora Templeton se llevó la mano derecha a la frente, cerró los ojos y por un momento su respiración se aceleró.

—¿Quién más se encontraba con vosotros en el embalse? —preguntó con calma.

—Sally, Cindy, Watch, Adam, yo y Tira.

—¿Tira, qué más? —inquirió la bruja con los ojos abiertos como platos.

—No nos ha dicho su apellido. Es nueva en el pueblo, aunque, según nos contó, vivió aquí hace unos años. —Tras una pausa, agregó—: ¿La conoce?

La señora Templeton guardó silencio largo rato, con la mirada perdida.

—Sí —contestó por fin—. Conozco a Tira, si resulta que es quien yo creo. Cuéntame qué sucedió después de que a Adam le invadiera esa bola luminosa.

—No hay mucho que explicar. Como le he dicho, se desmayó. Luego las bolas desaparecieron. Cuando al fin despertó afirmó que no recordaba que se le hubiera metido la esfera luminosa. Es más, nos pidió que no habláramos del asunto, que nos comportáramos como si no hubiera pasado nada. Hoy hemos ido a verle y ha estado muy desagradable. No parecía Adam.

—No me extraña. —La señora Templeton se llevó otra vez la mano a la frente y volvió a respirar con rapidez. Al parecer esa técnica la ayudaba a concentrarse, aunque Bryce ignoraba en qué. Por fin preguntó—: ¿Dónde están tus amigos ahora?

—No tengo ni idea. Watch pensaba buscar a Tira, y seguramente Cindy y Sally están en casa.

—No están en casa. Se encuentran en peligro.

—¿Dónde están? Tengo que ayudarlas.

Bryce se levantó sobresaltado.

La señora Templeton se apartó la mano de la frente, abrió los ojos y meneó la cabeza con suavidad.

—Están en el embalse; las persiguen, pero no puedes ayudarlas. Cuando llegues allí, la batalla ya se habrá decidido.

—¿La batalla contra quién? ¿Acaso las bolas luminosas han vuelto?

—Sí. Por fin han vuelto —aseguró la bruja con expresión ausente.

—¿Está segura de que no puedo ayudar a Sally y a Cindy? Me horroriza que pueda ocurrirles algo malo.

—La compasión es un sentimiento nuevo

para ti —comentó con una sonrisa al verlo tan preocupado—, y por eso te provoca inseguridad. Eso está muy bien. Por lo general te muestras demasiado seguro, lo que no necesariamente es una virtud; no, en alguien tan joven.

—Eso no importa ahora. Tengo que acudir en su auxilio —dijo Bryce después de ponerse en pie.

—Siéntate. Ya te he dicho que no llegarás a tiempo para ayudarlas. No te preocupes, tienen recursos; quizá consigan arreglárselas solas.

—¿Y si no lo consiguen?

—Entonces, también ellas se transformarán —informó la señora Templeton encogiéndose de hombros.

—¿Qué son esas bolas luminosas? —preguntó Bryce después de tomar asiento de mala gana—. ¿Por qué han aparecido ahora?

—Ignoro por qué han venido, pero quizá Tira pueda darte alguna información.

—¿Ella tiene algo que ver? —le preguntó Bryce.

—Sí. Sin lugar a dudas.

—Lo sospechaba —mascculló Bryce apretando los puños—. Sabía que no deberíamos haber confiado en ella. ¿Qué relación tiene con las bolas?

—Es una historia muy larga. Para que la entiendas, tendré que explicarte el origen de las esferas. Las llamaremos como solían conocerse hace muchos años.

—¿Cómo?

La bruja bajó la vista y por un instante pareció asustada; un leve temblor recorrió su cuerpo. Sin embargo, cuando volvió a mirar a Bryce, ya se había sosegado.

—Las llamaban las Nadie —le respondió.

—¿Por qué?

—Porque en realidad no son nadie; ése es su problema.

—No lo entiendo —reconoció Bryce.

—No les gusta ser Nadie. Podríamos decir que, de hecho, tienen hambre de ser alguien. —La señora Templeton se interrumpió y sus ojos se ensombrecieron—. Para saciarla, roban cuerpos de otras personas.

7

Sally y Cindy se hallaban en apuros. Aparte de hacer añicos las piedras en el aire, Adam, que había adquirido una fuerza sobrehumana, había arrastrado a las chicas hasta los árboles y las había atado en menos que canta un gallo.

Toda resistencia había resultado inútil, ya que parecía poseer la fortaleza de diez hombres juntos. Mientras se afanaba en su labor, no contestó a las preguntas que le formulaban las muchachas; eso sí, cuando las tuvo medio inmovilizadas, retrocedió unos pasos para admirar su obra. Fue entonces cuando Cindy trató de hacerlo entrar en razón. Mientras tanto las esferas luminosas volaban hacia ellas, así que dentro de poco las tendrían encima.

—Escúchame —dijo Cindy a Adam—, en realidad no quieres hacer esto. Somos tus amigas. Debes soltarnos antes de que esos globos nos alcancen. ¿Recuerdas lo que te pasó ayer cuando uno te tocó? Perdiste el conocimiento y desde entonces ya no eres tú. De algún modo esa esfera luminosa te controla y te obliga a hacer cosas horribles, ¿lo entiendes?

Adam se limitó a menear la cabeza; sus ojos seguían brillando como si fuera un fenómeno de circo.

—Sois vosotras las que no entendéis —repuso con voz cascada—. Os hago un favor al ayudaros a fundiros con las Nadie. Sólo estaréis completas cuando una entre en vuestro cuerpo.

—¿Y qué pasa si no quiero estar completa? —preguntó Sally—. Me encanta estar incompleta. Creo que es lo que me da carácter.

—No tenéis elección —replicó con desdén—. Sólo os queda rezar para que la Nadie que os invada no sea muy glotona, ya que si así sucede anulará vuestra personalidad.

—¿Cómo te ha ocurrido a ti, Adam? —preguntó Cindy con tristeza.

Se estremeció al oír su nombre, pero enseguida Adam —o la cosa que lo poseía lo hizo— se recuperó y volvió a mirarlas con desprecio.

—Yo no soy Adam. Soy mucho mejor de lo que él habría llegado a ser —explicó con voz extraña—. Poseo poderes que él jamás soñó en tener.

—Pero te falta su amabilidad —protestó Cindy—. Cuando invadiste su cuerpo la destruiste, y valía mucho más que toda la fuerza del mundo.

—Eso crees tú. La amabilidad es tan inútil como tus súplicas. No pienso soltaros. Seréis como yo o, de lo contrario, moriréis.

—Prefiero la muerte —afirmó Sally con tono desafiante.

—Quizá no haya sido la respuesta más adecuada a su amenaza —le susurró Cindy.

El muchacho, que ya se aproximaba a ellas, levantó la mano derecha y de la punta de los dedos le salieron chispas mientras esbozaba una sonrisa extraña, que sólo podía pertenecer a una mente alienígena retorcida. Se acercó a Sally y le habló como un demonio.

—Si te toco las orejas, tu cerebro se fundirá —dijo—. Tendrás una muerte horrible. Tus chillidos se oirán hasta en el pueblo.

Sally le escupió en la cara.

—No me das miedo, nunca gritaría ante una criatura como tú. Jamás te daría ese gusto.

—Sally —murmuró Cindy con nerviosismo—, creo que es mejor razonar con él que escupirle, porque al fin y al cabo tiene la sartén por el mango. Además, seguro que no quieres que te funda el cerebro. Supongo que no es la mejor manera de dejar este mundo.

La cosa que había en el interior de Adam seguía refocilándose con Sally.

—¿Qué prefieres? ¿Muerte o inmortalidad? Tú decides.

—¿Podría ser inmortal sin convertirme en un malvado como tú? —preguntó Sally con interés.

La criatura lanzó unos alaridos de placer mientras retrocedía unos pasos y exclamó:

—Que la más abrasadora de todas las Nadie entre en ti y transforme tu insolencia en cenizas —sentenció señalando las esferas luminosas, cada vez más cercanas—. Pronto dejaréis de ser humanas. —A continuación dio media vuelta y dijo—: Tengo mucho que hacer.

—¡Adam! —llamó Cindy—. ¡Debes resistirte a esa cosa! ¡Debes luchar!

Entonces la cosa habló desde dentro de él:

—Adam está muerto.

Vieron cómo lo que quedaba de su amigo subía a la bicicleta y pedaleaba hacia Fantasville. Entretanto, las esferas luminosas se encontraban a apenas sesenta metros; había más de veinte y avanzaban hacia ellas como atraídas por el olor de su sangre. Sally y Cindy se debatieron para desatarse antes de que aquellos seres llegaran, pero al final arrojaron la toalla.

—Es raro que las llamara las Nadie —masculló Cindy.

—Sinceramente su nombre me importa un pepino —replicó Sally.

—En lugar de venir a rescatarme, tendrías que haber ido al pueblo para alertar a la gente.

—En parte tienes razón; debería haber avisado de lo que ocurría.

Las esferas cada vez resplandecían más, como si disfrutaran con anticipación del fabuloso banquete que se iban a dar. Sólo estaban a unos treinta metros.

—Y ahora, ¿qué hacemos? —se preguntó Cindy en voz alta.

—Se aceptan sugerencias —dijo Sally.

—¿Crees que hay algún modo de asustar a las Nadie?

—Lo dudo. Ni tú ni yo tenemos un aspecto terrorífico.

—Me pregunto qué se sentirá cuando te posee una de esas cosas.

—Supongo que por lo menos no nos cansaremos cuando regresemos pedaleando al pueblo —bromeó Sally.

—¿No tienes miedo? —preguntó Cindy.

—Claro que sí. Siempre hago chistes malos cuando estoy asustada.

—Es curioso que dijera: «Que la más abrasadora de todas entre en ti.» ¿Crees que eso significa que son seres individuales?

—Probablemente. En todo caso, eso me trae sin cuidado ahora.

Las bolas se encontraban ya a unos quince metros de distancia y a unos siete metros de altura.

Cindy comenzó a forcejear otra vez con las cuerdas, pero desistió al ver que era en vano.

—Tenemos que soltarnos —dijo.

—Por desgracia no llevo ningún cuchillo en el bolsillo —comentó Sally.

—¿Y el encendedor Bic? Normalmente lo llevas encima.

—Tienes razón. —A Sally se le iluminó la cara—. Lo tengo guardado en el bolsillo de atrás. Lo había olvidado. Quizá logre quemar las cuerdas. —Empezó a removerse para alcanzar el mechero.

—¡Date prisa! —exclamó Cindy al ver que

una esfera descendía hacia ella—. Creo que ésa se ha encariñado conmigo.

La criatura que habitaba en Adam les había atado las manos a la espalda, contra el árbol. En aquella posición no le resultó difícil sacar el encendedor del bolsillo y enseguida lo cogió entre los dedos, pero al intentar chamuscar la cuerda se quemó.

—¡Ay! —gritó.

—¡No sueltes el mechero! —ordenó Cindy entre dientes.

—No lo he soltado. Acabo de quemarme.

—No importa. No te quejes y aplica la llama a la cuerda.

—Podrías decirme algo amable, ¿no? —Sally estaba ofendida—. Me duelen los dedos un montón.

—Eso importa poco ahora; lo que me preocupa es mi alma. —Cindy miró hacia arriba. La esfera más cercana sólo se encontraba ya a unos cinco metros y comenzaba a brillar cual criatura hambrienta—. ¡Quema esas cuerdas de una vez!

—De acuerdo —dijo mientras se enfrascaba en la tarea. De repente se detuvo al percibir un olor extraño—. Huele a humo.

—¡Pues claro! Estás quemando la soga, ¿no? Sigue y no te preocupes. ¡No pares!

Sally, que se sentía inquieta, trató de mirar hacia atrás.

—¿No habré prendido fuego al árbol sin querer?

Entonces Cindy se percató de que una pequeña llama naranja flameaba en la parte posterior del tronco al que estaba atada Sally. Por desgracia, la llama estaba más arriba de las cuerdas y ascendía.

—Sí —confirmó Cindy—. La corteza está ardiendo. No ha sido una buena idea. Deberías tener más cuidado. Tenemos que escapar de aquí.

—¿Que no ha sido una buena idea? —exclamó Sally con irritación—. ¿No comprendes la gravedad de la situación? ¡He prendido fuego al árbol al que estoy atada! ¡Si no logro soltarme, acabaré calcinada!

—¡Si no logramos soltarnos, ya nada importará! —vociferó Cindy—. ¡Calla de una vez e intenta quemar las dichosas cuerdas!

—No tienes por qué ser maleducada —replicó Sally ofendida.

—¡Están a punto de poseerme! ¡No tengo por qué cuidar mis modales! ¡Date prisa!

—Muy bien. —Sally lo intentó de nuevo—. Mientras tanto, trata de apagar el fuego.

—¿Cómo quieres que lo apague? ¿Soplando?

—No, escupiendo —propuso Sally.

—Es la idea más estúpida que se te ha ocurrido en la vida. En todo mi cuerpo no tengo tanta saliva. Por cierto, ¿por qué escupiste a Adam? Yo trataba de hablar con él.

—A estas alturas ya deberías haber comprendido que me es imposible hablar con alguien que está poseído por un ente malvado. Mira, Cindy lo decía en serio. Comienza a hacer mucho calor, y pronto se me quemará el pelo. Intenta escupir en las llamas.

Cindy comenzó a lanzar salivazos hacia el fuego, con tan mala puntería que a Sally le cayó uno en la cara.

—¡Caramba! —protestó Sally.

—Hago lo que puedo. Deja de quejarte de una vez y sigue con tu tarea. —Cindy se agachó al ver que las esferas luminosas se encontraban a sólo tres metros por encima de su cabeza—. No debí haberme levantado de la cama esta mañana.

—Nunca se está a salvo en Fantasville, ni siquiera en la cama —mascculló Sally mientras continuaba trabajando. El fuego ya había prendido en varias ramas del árbol. El humo se desplazaba hacia las esferas, a las que no parecía afectar. Sally añadió—: Sé de una chica a la que, aunque nunca se levantó de la cama, se la comió un ácaro gigante que había crecido en su almohada durante años. Se llamaba Kathy y era...

—Por favor —la interrumpió Cindy, que se había agachado todo lo posible. La esfera luminosa se cernía sobre ella a menos de un metro de altura, por lo que percibió toda la energía que irradiaba. Se produjo una descarga eléctrica que hizo que se le erizara el vello—. Ya me contarás la historia en otro momento.

Sally logró soltarse las manos y al cabo de un momento ya se había desatado los pies. A continuación se acercó a Cindy para liberarla, pero tenían la bola de luz tan cerca que temió que la atacara.

Por suerte consiguió soltar a su amiga a tiempo y ambas echaron a correr hacia la orilla del embalse, donde tenían las bicicletas, y se alejaron de aquella nube de Nadies.

De pronto, al otro lado del cerro vieron otro grupo de Nadies, mucho más numeroso que el que habían dejado atrás.

Las chicas quedaron paralizadas de miedo.

—Debe de haber miles —conjeturó Cindy entre jadeos.

—Una por cada habitante del pueblo. Es una suerte que no se desplacen muy rápido. Al menos tendremos ocasión de prevenir a la gente.

—Creo que Adam quería transformarnos para que le ayudáramos a capturar y atar nuevas víctimas. Seguro que ha ido al pueblo para atrapar a más gente. Recuerda que dijo que tenía mucho trabajo.

Sally señaló el árbol envuelto en llamas. El fuego, sin embargo, no parecía afectar a aquellos seres, pues no hacían nada para esquivarlo.

—Si el fuego no les hace daño —dijo Sally—, ¿qué las matará?

—Me temo que es imposible eliminarlas —repuso Cindy.

8

Watch y Tira paseaban por las colinas cercanas a Fantasville. La muchacha se había negado a desvelarle sus secretos hasta que hubieran salido de la ciudad. Watch todavía daba vueltas a lo que Tira le había explicado y llegó a la conclusión de que, o bien la había entendido mal, o ella le había tomado el pelo. Era evidente que era un ser humano. Los dos eran humanos, y nadie podía elegir a otra persona. Ni siquiera comprendía qué había querido decir al afirmar que lo había elegido a él.

De pronto Tira se volvió hacia Watch y lo miró fijamente. Sus ojos seguían siendo preciosos, aunque habían perdido el brillo. De hecho, lo habían hechizado por completo.

—¿Qué quieres saber? Puedes preguntarme lo que desees. No te mentiré.

—¿Cuántos años tienes? —preguntó Watch.

—¿Cuántos me echas?

—Once o doce.

—Mi cuerpo dejó de crecer cuando tenía doce —explicó Tira con una sonrisa—. Eso fue hace mucho tiempo, un siglo más o menos. Por lo tanto, tengo más de un siglo, por lo menos una parte de mí. —Se interrumpió y señaló el cielo encapotado—. Tengo tantos años como el cielo.

—¿Eres inmortal?

—Sí, en efecto, y tú también puedes serlo.

—Un momento —dijo Watch levantando la mano—. Nada de lo que dices tiene sentido. Por favor, comienza desde el principio.

—Ya te he contado lo que ocurrió —repuso Tira con expresión pensativa—. Yo era como tú; vivía en el pueblo pero no me sentía de aquí, tenía amigos pero no me entendían. Estaba muy sola y, aunque la situación no me gustaba, prefería la soledad a la compañía. Solía vagar por estos cerros durante horas, yo sola, tanto de día como de noche; total, nadie se preocupaba por mí, nadie me echaba de menos... Una noche subí hasta la cima de aquella colina —añadió indicando el montículo que se alzaba a su espalda.

—¿Qué ocurrió? —preguntó Watch con cautela. Comprendió que la chica no bromeaba. Sus palabras tenían una extraña fuerza que le impulsaba a creerla. Debía creer en ella.

—Empecé a rezar.

—¿Para qué?

—Para que se me llevaran, para que me alejaran de aquí. Rezaba para escapar de mi existencia miserable y mortal.

—¿Querías morir? —preguntó Watch con horror.

—No. —Tira negó con la cabeza—. Quería vivir, pero otra clase de vida. Quería tocar las estrellas y volar a través del tiempo.

—¿Qué sucedió entonces?

—Vinieron.

—¿Quiénes? —preguntó Watch arrugando la frente.

—No importa cómo las llames. En aquella época alguien las llamó las Nadie, pero el nombre da igual. —Tras escrutar los ojos de Watch, prosiguió—: Apareció una esfera luminosa. Entró en mi cuerpo y se volvió parte de mí. Me había buscado tanto como yo a ella, y desde ese momento se convirtió en mí y yo en ella. Ahora poseo muchos poderes; puedo trasladarme por el espacio y el tiempo; no envejezco; y nunca moriré. —Le agarró por el hombro—. ¿No te parece increíble? ¿Acaso no te encantaría ser como yo?

Watch estaba preocupado. Aquella historia era extraordinaria, increíble, pero en el fondo sospechaba que debía de ser cierta, ya que tan pronto como conoció a Tira presintió que no era humana.

—Pero ¿qué entró en tu interior? ¿Qué era? —preguntó.

—No puedo describírtelo, pero fue algo magnífico. Has de comprender que yo soy tanto esa cosa como la chica de doce años, pero en verdad soy mejor que las dos.

—¿De dónde salió esa esfera luminosa?

—Lo ignoro. Sólo sé que acudió en respuesta a mis plegarias y que también puede aparecer ante ti. Si lo deseas, podrás fundirte con una de ellas.

Watch retrocedió un paso al tiempo que meneaba la cabeza.

—No sé si es buena idea. Recuerda lo que le ocurrió a Adam cuando uno de esos globos entró en él. Está muy raro, ya no parece él.

—¿Y qué si ya no es él? —replicó Tira con firmeza—. ¿Qué pasa? ¿Que ya no es el alma pequeña que tú conocías? Ya verás cómo se adapta, aunque la esfera que lo poseyó es despiadada. Sin embargo no todas son así; muchas de nosotras somos amables. Debes entender, Watch, que la mayoría de nosotras sólo anhelamos un lugar donde vivir, alguien a través del cual vivir.

—¿Y tú quieres que me funda con uno de esos seres?

—Sí —respondió con entusiasmo—. Yo me encargaré de elegir el ser al que te unirás; escogeré al más agradable de todos, al que tenga una personalidad más parecida a la tuya.

—Pero antes has llamado a esos seres Nadie. ¿Cómo es posible que tengan una personalidad?

—Personalidad no es el término más adecuado. En realidad tienen una naturaleza, al igual que tú. —Acto seguido le cogió las manos y se las apretó—. ¡Piensa en lo que significaría para ti, Watch! ¡Tendrás todo cuanto siempre has deseado!

—Pero ¿seguiré siendo yo?

—Serás tú y más. —Después de una pausa, añadió con seriedad—: Nunca más te sentirás solo. Albergarás a ese ser en tu interior y estarás conmigo.

Watch quería plantearle más preguntas porque le asaltaban las dudas. Sin embargo, al contemplar los misteriosos ojos de Tira, los interrogantes se desvanecían. Notó que de las manos de Tira fluía una energía que luego entraba a su cuerpo y le ayudaba a imaginar qué debía de sentirse al ser inmortal; lo cierto es que aquella sensación le gustó.

No sentirse solo nunca más. Poder hacerlo todo. No morir jamás; ser inmortal.

¿Y qué importaba transformarse por dentro para conseguir todo eso?

Watch dedicó una sonrisa a Tira, que se la devolvió. Ya conocía la respuesta del chico antes de que hablara.

—Dime qué hemos de hacer —dijo Watch.

9

La señora Ann Templeton y Bryce Poole conversaban sentados a la larga mesa de madera, al calor de la lumbre del hogar de piedra, situado a la derecha; la bruja acababa de prender la leña con sólo una mirada. Mientras hablaba, miraba fijamente a Bryce, que se sintió como si lo observaran por un microscopio.

—Las Nadie son muy antiguas —explicó la bruja—. No provienen de este mundo, sino de otro, aunque forman parte de éste porque las dejaron aquí, ¿lo entiendes?

—No —reconoció Bryce.

—Estas vaguedades son muy intencionadas —aclaró la bruja con una sonrisa—. Te provoco para asegurarme de que me escuchas con atención. Para entender este asunto hemos de remontarnos a millones de años atrás y situarnos en otro sistema solar, el sistema donde se desarrolló la humanidad por primera vez.

—¿Acaso los hombres no aparecieron en nuestro planeta?

—No. Ésa es una de las mentiras que os cuentan los científicos, que siempre se resisten a afrontar la realidad. ¿Has oído hablar del eslabón perdido? Es el que conecta la humanidad con los simios. Pues bien, la ciencia nunca lo encontrará porque no existe y nunca existió en este mundo. No, la humanidad procede de las estrellas; las dos o tres mil personas que vinieron aquí hace millones de años no tenían intención de quedarse. Su propósito era explorar el planeta, trazar mapas e investigar todos los recursos de que disponía. Pertenecían a una civilización muy avanzada y siempre quisieron volver a casa, a su sistema solar. Sin embargo ocurrió algo, se les destruyó la nave, y permanecieron aquí para siempre. —La señora Ann Templeton guardó silencio unos segundos y luego suspiró—. Así fue como miles de almas quedaron atrapadas en un mundo ajeno.

—¿Por qué estaban atrapadas?

—Lo ignoro. Todo sucedió hace mucho tiempo, demasiado para que lo visualice. Sólo sé que alguien del grupo traicionó a los demás.

—¿Toda esa gente murió?

—Claro que sí. Eran humanos.

—¿Acaso no tuvieron hijos? ¿Y estos hijos no tuvieron hijos a su vez?

—No; no tuvieron ocasión. Estaban desesperados porque se sentían encerrados aquí y comenzaron a luchar entre sí. Estalló una breve guerra en la que se mataron los unos a los otros. —La bruja hizo una pausa—. Sin embargo, sus almas se quedaron vagando, porque no podían marcharse. Permanecieron aquí, confinadas en una especie de purgatorio interminable.

—¿Por qué? —inquirió Bryce con incredulidad—. ¿Cómo es posible que un alma se quede atrapada?

—No conozco la respuesta. En todo caso, no me cabe duda de que morir tan lejos de casa es demasiado penoso, incluso para un alma. Por muy indestructibles que sean, quizá tuvieron miedo de afrontar los interminables años luz que debían recorrer por el espacio vacío para llegar a casa. Sea como fuera, me consta que esas almas viejísimas han tratado durante siglos de volver a ser humanas. Ellas son las responsables de las numerosas posesiones demoníacas que se produjeron en la Edad Media.

Lo irónico del caso es que no son demonios, sino almas que han perdido su rumbo.

—¿Por qué se llaman Nadie, entonces? —le preguntó Bryce.

—Porque la mayoría de ellas ha olvidado quién fueron antaño. Ha pasado mucho tiempo. No creo que nadie sea capaz de imaginar qué debe de ser estar flotando en el vacío durante millones de años. Por eso resultan muy peligrosas, porque han perdido toda su humanidad. No obstante, he oído que algunas todavía se acuerdan de lo que fueron, y éstas son buenas y amables. Sin embargo, todas tienen hambre de un cuerpo humano, y en este sentido todas son peligrosas. Están sedientas de vida o, al menos, de compartir una vida. Debes compadecerte de ellas, Bryce. Recuerda que no llevaban mucho tiempo aquí cuando se destruyeron, de manera que no tuvieron la oportunidad de completar su vida.

—Y Tira, ¿qué relación tiene con ellas?

—Es una de ellas.

—No lo entiendo. Tira no es una esfera luminosa. Tiene un cuerpo, como nosotros.

—Una bola luminosa poseyó su cuerpo hace cientos de años. Mi tatarabuela menciona a Tira en su diario. La conocía, sabía cuán desconsoladamente sola se sentía y cómo rezaba para que se la llevaran. Algo vino a por ella, aunque no fue el ángel que esperaba.

—Entonces, ¿Tira es mala? —le preguntó Bryce.

—Más bien está confusa porque en verdad no es un solo ser, sino dos. Es un alma de un millón de años en un cuerpo de una niña de doce años que debería haber muerto hace un siglo. Podría decirse que Tira es un híbrido. En cualquier caso, nunca debió suceder lo que le ocurrió.

—¿Acaso las criaturas como Tira no están llamadas a ser especiales?

—No. Tira, la joven de hace un siglo, tendría que haber vivido la existencia que le habían concedido, pero la rechazó. La Nadie que la poseyó estaba destinada a llevar otra clase de vida, pero, como te he explicado, quedó atrapada aquí. Tira, en cierto sentido, es un antiquísimo accidente de la naturaleza.

—¿Y qué ocurre con Adam? —preguntó Bryce.

—Lleva poseído muy poco tiempo. Si logramos sacar esa vieja alma de su cuerpo, tal vez vuelva a ser normal.

—Ése es el problema —exclamó Bryce—.

Ninguno de nosotros sabe cómo expulsar a las Nadie de un cuerpo. —Tras una pausa, miró a la bruja y preguntó—: ¿Usted sabría?

—Se me ocurren algunas ideas —respondió la señora Templeton al tiempo que se levantaba—. Es hora de comer, así que será mejor que hablemos del asunto más tarde.

—No puedo quedarme. —Bryce se puso en pie de un salto—. Mis amigos están en peligro y debo acudir en su ayuda.

—Eso es típico de ti. Siempre crees que tienes que salvar el mundo, que nadie más logrará hacerlo. No me extraña que saques de quicio a Sally.

—Pensaba que Sally no le caía bien.

—En realidad la adoro, aunque a veces me entran ganas de matarla y quizás algún día lo haga. De todas formas estoy de acuerdo con ella en que deberías aprender a ser humilde; no eres el único héroe de la ciudad, ya lo sabes. Los otros también son valientes e inteligentes.

—Claro, pero...

—Y no puedes ayudarles —le interrumpió la bruja— hasta que encuentres la manera de expulsar a las Nadie del interior de Adam y Tira. Así pues, siéntate para comer. ¿Qué te apetece?

—¿Usted qué va a tomar? —preguntó Bryce mientras se sentaba.

—Pavo con puré de patatas.

—Es mi plato preferido —le replicó Bryce con una sonrisa.

—Por eso mismo lo he preparado. El pavo ya está listo, de modo que ponte cómodo porque ahora mismo lo sirvo.

—Me cuesta relajarme cuando sé que mis amigos las están pasando canutas —se quejó Bryce.

—Te diré algo que quizá te ayude a disfrutar un poco más de la comida: en estos momentos Sally y Cindy vienen hacia aquí.

—¿En serio?

La mujer sonrió, pero en sus ojos había una expresión extraña y distante.

—Siempre hablo en serio. Después de todo, soy una bruja.

10

Apenas una hora después de que la bruja hubiera anunciado la llegada de Sally y Cindy, las chicas se plantaron ante la puerta del castillo, pues en el pueblo les habían informado de que habían visto a Bryce dirigirse hacia allí. A Sally no le hacía ninguna gracia pedir ayuda a la bruja. La señora Ann Templeton las recibió con todos los honores y las condujo al comedor, donde Bryce daba cuenta de su segundo trozo de pastel de manzana. Sally puso cara de asco.

—Estupendo. Mientras nosotras luchamos contra las fuerzas infernales, tú estás aquí, cebándote.

Bryce soltó un eructo y señaló un muslo de pavo.

—¿Os apetece un poco?

—¿Cómo se te ocurre que comamos ahora? —le reprochó Sally—. El mundo está a punto de terminarse. —Acto seguido miró a la bruja, que se había sentado a la cabecera de la mesa—. A alguien tiene que importarle.

—Sally, el mundo no va a acabar —afirmó la bruja con suavidad—. Hace mucho que existe y nada de lo que hagamos va a mejorarlo o dañarlo demasiado.

—Actitudes derrotistas como ésta son la fuente de todos los problemas de la humanidad —espetó Sally.

—Oh, Sally —exclamó la bruja entre risas—; eres única y, a tu manera, casi perfecta. ¿Seguro que no te apetece un poco de pavo?

—Bueno, lo cierto es que huele muy bien —respondió aspirando su aroma antes de acercarse con disimulo a la mesa—. ¿Seguro que no lo ha rellenado con picadillo de ranas? No me gustan las ranas muertas; de hecho las vivas tampoco me gustan demasiado.

—No te preocupes por el relleno —aseguró la señora Templeton.

Ahora fue Cindy quien comenzó a protestar.

—Señora Templeton, perdone que le diga que no tenemos tiempo de comer. En estos momentos, miles de esferas luminosas avanzan hacia el pueblo y Adam está allí para ayudarlas a robar los cuerpos a la gente. Tenemos que detenerlos a él y a todo el ejército alienígena.

—No son alienígenas —corrigió Bryce mientras pasaba a Sally la fuente con puré de patatas—. ¿Un poco de salsa?

—Gracias —dijo Sally—. El terror siempre me da hambre.

—¿Habéis pensado en cómo vais a sacar a la Nadie del cuerpo de Adam? —preguntó la señora Ann Templeton a Cindy—. Creo que deberíais comenzar por ahí.

—No lo sé. ¿Usted lo sabe? —Cindy arrugó la frente.

—No os lo puedo decir todo. Tenéis que descubrir algunas cosas por vuestra cuenta. ¿Sally, Bryce, qué opináis? ¿Se os ocurre algo?

—Las Nadie están cargadas de electricidad —comentó Sally—. Tal vez exista un modo de usarla contra ellas.

—Si funcionan mediante electricidad, podríamos provocar un cortocircuito.

—Ya está —exclamó Cindy mientras paseaba con entusiasmo por la habitación—. Lo que hay que hacer es encontrar a Adam, inmovilizarlo y conectarlo a una batería de automóvil mediante unos cables. Creo que con una buena descarga lograríamos sacar la esfera de su interior.

—Muy bien, pero ¿cómo conseguiremos inmovilizarlo? —preguntó Sally—. Recuerda que se ha vuelto fuerte como un toro.

—Pues en lugar de intentar atarlo, le aplicamos la descarga por sorpresa cuando nos ataque.

—La última vez que nos atacó casi acaba con nuestras vidas —objetó Sally mientras mordía el muslo de pavo—. ¡Mmm! Está riquísimo, señora Templeton. ¿Alguna vez se ha planteado dedicarse a la cocina en vez de a la brujería?

—¿Y tú has pensado alguna vez qué se siente cuándo una bruja te asa y luego te come, querida Sara? —inquirió llamándola por su nombre verdadero.

—Dejémoslo —masculló Sally.

—¿Cómo vamos a encontrar a Adam? —preguntó Cindy.

—Sólo hay que ir a allí donde haya gente gritando —propuso Bryce.

—Es verdad —asintió Sally—. Sus ojos fosforescentes y el aura de luz que lo rodea asustan a todo el mundo. No creo que resulte difícil localizarlo, Cindy. Bryce, pásame la sal, por favor.

—Te recomiendo el pastel de manzana; nunca había probado nada igual.

—Lo he preparado con ojos de rana —intervino la bruja.

Bryce y Sally palidecieron y la miraron de hito en hito.

—Era una broma —añadió la señora Templeton con una sonrisa.

—¿Y qué hay de las Nadie que se dirigen al pueblo? Es imposible soltarles una descarga a cada una de ellas por separado. Lo más probable es que nos poseyeran antes de empezar.

—Entonces la descarga debería caer sobre toda la ciudad —observó Bryce con expresión reflexiva.

—¿Cómo? —preguntó Cindy.

Bryce señaló hacia el techo.

—El cielo está muy encapotado. Empezará a llover de un momento a otro. Con una buena dosis de rayos, sin duda acabaríamos con ellas.

—Ahí está el problema —repuso Sally—. Se preveían lluvias para ayer y hoy, pero no ha caído ni una gota. ¿Qué os apostáis a que las nubes pasan de largo sin provocar ni un solo relámpago?

—No si las bombardeamos —propuso Bryce—. De ese modo provocaríamos una tormenta con un montón de relámpagos.

—¿Bombardearlas con qué? —inquirió Sally. Bryce se rascó la cabeza.

—Ignoro con qué se bombardean las nubes para que llueva. —Se volvió hacia la señora Templeton—. Hemos avanzado un buen trecho nosotros solos. ¿No podría echamos ahora una mano?

—Es cierto que habéis llegado a la raíz del problema —admitió la bruja—. Tengo unos polvos que, si se arrojan a las nubes, ocasionan un buen chaparrón y una tormenta con muchos rayos.

—¿Podría prestarnos también su escoba? —inquirió Sally con sorna.

—Sally —la reprendió la bruja con una mirada severa—, no tengo escoba, pero podría transformarte en una. ¿Te gustaría pasarte el resto de tu vida barriendo el suelo del castillo?

—Era sólo una broma. —Sally bajó la cabeza—. Quizá podamos conseguir un globo o algo parecido, como cuando escapamos de los Monstruos de Hielo. Seguro que el señor Patton nos dejará uno al ver entrar en el pueblo al ejército de las Nadie. Le encantan las batallas.

—Qué hombre más valiente —comentó la señora Templeton con cariño.

—¡Es una idea estupenda! —Cindy comenzó a dar botes de alegría—. Cuando se desate la tormenta y comience a tronar, los monstruos estarán acabados.

—No son monstruos —murmuró la bruja—. Son almas perdidas.

Las chicas no entendieron el significado de sus palabras.

—¿Usted cree que las destruiremos con las descargas eléctricas? —le preguntó Bryce con gran seriedad.

—No estoy del todo segura. Quizá logres liberarlas. He oído decir que las Nadie siempre huyen de las tormentas eléctricas.

—Por lo visto avanzan directas hacia la emboscada —observó Sally frotándose las manos.

—No conoces toda la historia —dijo Bryce—. Deberíamos sentir compasión por ellas.

—No pienso compadecerme de una criatura que ha invadido el cuerpo de un amigo.

—Sólo habláis de lo que le ha ocurrido a Adam —terció la señora Templeton—. Os habéis olvidado de Watch.

Al oír el nombre de su amigo se sobresaltaron.

—¿Qué le pasa? —inquirió Cindy—. ¿Dónde está?

—Está con Tira —informó la bruja.

—Y Tira es una de ellas —explicó Bryce entre dientes— desde hace mucho tiempo.

Sally se levantó de la mesa de un salto.

—La mataré si ha hecho daño a Watch —sentenció.

—Matarla no es tan fácil como crees —advirtió la bruja—. Y quizá a Watch le guste lo que va a hacer con él. Reflexionad bien antes de actuar y tened en cuenta que, cuando lo encontréis, quizá ya se haya convertido en el enemigo que tanto deseáis destruir.

11

Pocos minutos después los chicos se alejaban del castillo con cincuenta kilos de polvo de lluvia repartido en tres bolsas de plástico que pesaban un montón. Para Sally esa sustancia tenía un aspecto de lo más normal, pero la señora Templeton le había asegurado que cumpliría su cometido. Ahora sólo quedaba subir al cielo.

Bien, en realidad tenían otros asuntos pendientes, como encontrar a Adam. No les costó localizarlo. Cuando se hallaban a unos cuarenta metros del castillo, oyeron los gritos de un anciano junto al cementerio. Corrieron hacia allí y vieron cómo Adam, con una sonrisa de demente y absorto en su tarea, ataba al hombre a la verja de hierro del campo santo, para que las Nadie lo poseyeran sin problemas. Sally y

Cindy quedaron petrificadas al reparar en que la nube de esferas luminosas se encontraba muy cerca del pueblo.

—Pero si se movían muy despacio —observó Sally con incredulidad—. ¿Cómo habrán llegado hasta aquí en tan poco tiempo?

—El viento sopla en su dirección —explicó Bryce—. Luego nos ocuparemos de ellas. Ahora debemos comprobar si nuestra teoría es correcta. Si logramos liberar a Adam, conseguiremos salvar a todo el mundo. —Señaló un camión que había cerca de ellos—. Sacaremos la batería. Espero que encontremos algún cable.

—Pero eso es robar —objetó Cindy.

—Está permitido robar cuando tratas de salvar a la humanidad —replicó Sally—. Además, luego la devolveremos.

Abrieron el capó del camión sin problemas y en poco tiempo se hicieron con la batería y unos cables. Bryce transportaba aquélla mientras Sally sujetaba los cables por el extremo. Habían dejado las bolsas con el polvo en el suelo. Adam aún no había acabado de atar a su víctima. Los muchachos no soportaban aquella visión y querían acabar con el horrible espectáculo lo antes posible.

—Seguro que sale pitando en cuanto nos

vea —susurró Sally mientras se acercaban—. ¿Qué debo hacer con los cables?

—Aprétalos contra su barriga y junta los dos extremos —explicó Bryce—. Cuando el polo negativo toque al positivo, se producirá una chispa muy peligrosa.

—¿Podría matarlo? —le preguntó Cindy.

—Quizá la descarga le paralice el corazón —respondió Bryce asintiendo con la cabeza—, pero es un riesgo que debemos correr. Preparaos. Me parece que nos ha visto.

En efecto, Adam los había visto y se alejó del anciano en dirección hacia ellos. Avanzaba con tanta rapidez y con tal furia que casi pilló desprevenida a Sally. Al advertir que iba a por ella comenzaron a temblarle las manos. Aun así, se esforzó por unir los extremos de los cables en el momento adecuado, justo cuando Adam se abalanzó sobre ella.

Sally salió disparada hacia atrás por la descarga, cayó en el césped y se dio un golpe en la cabeza. Por un instante vio las estrellas y en su mente reinó el caos. Cuando logró incorporarse con gran esfuerzo, no recordaba bien qué había ocurrido, aunque tenía la sensación de que había fracasado y, por lo tanto, agotado las posibilidades de salvación. De pronto, descubrió con asombro que Adam estaba sentado junto a ella, en el suelo, rascándose el estómago sobre la camiseta chamuscada mientras la miraba sin dejar de pestañear.

—Me ha dolido mucho —afirmó—. ¿Por qué lo has hecho?

—¡Adam! —exclamó Sally al tiempo que lo abrazaba—. ¡Has vuelto!

—¿He vuelto? —Estaba muy confuso—. ¿Dónde estaba? —Miró alrededor con los ojos como platos—. ¿Cómo he llegado hasta aquí?

Cindy se arrodilló a su lado para darle un abrazo.

—¿No recuerdas qué te ha ocurrido? —preguntó.

—No. —Adam frunció el entrecejo al ver al hombre atado a la verja del cementerio. Bryce caminaba hacia allí para soltarlo—. ¿Quién ha atado a ese pobre hombre?

—Tú, sinvergüenza.

—¡Imposible! —exclamó Adam con indignación.

—¿Qué es lo último de lo que te acuerdas, Adam? —inquirió Cindy.

—Yo estaba con vosotros en el embalse... —Adam tenía que esforzarse mucho para recordar—. Y esa chica nueva, Tira, se acercó a una especie de bola luminosa que volaba. Temí que le hiciera daño, así que me interpuse en su camino. —Se rascó la cabeza y preguntó—: ¿Qué pasó después?

Sally le dio unas palmaditas en la espalda y lo ayudó a levantarse.

—Han sucedido cosas increíbles, Adam, pero no tenemos tiempo para contártelas. Cindy y Bryce deben encontrar a Watch, y tú y yo hemos de espolvorear las nubes con cincuenta kilos de polvo. Venga, vamos al almacén para pedirle al señor Patton el globo aerostático.

—¿Por qué hemos de espolvorear las nubes? —Adam no comprendía nada.

—Porque tiene que llover —dijo Cindy mirando hacias las Nadie que se acercaban—. Tiene que caer una tormenta con rayos y truenos.

—¿Watch se encuentra en peligro? —preguntó Adam.

—Su alma está en peligro —matizó Cindy con tono grave—. Si no lo localizamos antes de que Tira lo convenza, podríamos perderlo para siempre.

12

Una hora más tarde, poco antes del anochecer, Sally y Adam sobrevolaban Fantasville en un globo aerostático en compañía del señor Patton, un hombre de complexión fuerte y cabello rubio cortísimo, que rondaría los treinta y cinco años. Cuando le explicaron que las Nadie querían atacar el pueblo, no dudó en ofrecer el mejor de sus globos, tras lo cual se dirigió a la trastienda para ponerse su uniforme de marine. Le entusiasmaba la idea de combatir en una nueva batalla. Después de cargar las bolsas de polvo en la barquilla, subió un lanzallamas, un lanzagranadas y un M16. Ahora estaba sentado en el suelo de la nave cargando las armas.

—No creo que sirvan para detener a esas criaturas —le advirtió Sally—. Lo más indicado para acabar con ellas es producir un cortocircuito.

—Sí, me hago cargo —asintió el señor Patton—, pero nunca está de más tener un plan alternativo. —Se levantó con el M16 a cuestas, miró atentamente hacia las bolas luminosas y acto seguido tomó unos prismáticos para observarlas—. Parecen peligrosas —balbuceó—. ¿Qué tal si les disparo la ametralladora? Sólo para advertirles que vamos en serio.

—Inténtelo si quiere —dijo Sally.

El señor Patton levantó el arma y abrió fuego contra las Nadie. Como era de esperar, las balas se limitaban a traspasarlas. Después de vaciar el cargador, el hombre observó las esferas con rabia.

—Esta batalla va a ser difícil —vaticinó.

—Necesitamos más altitud —observó Sally—. Hay que flotar por encima de las nubes para lanzarles el polvo. ¿Qué hay que hacer para subir?

—Uno de nosotros podría tirarse en paracaídas para aligerar la carga —propuso Adam.

El señor Patton se echó a reír y tomó la válvula del gas que se encontraba debajo del extremo abierto del globo.

—No es necesario. Tan sólo hay que calentar un poco más el aire —explicó. Hizo girar la válvula y salió una enorme llama del quemador, lo que hizo que la nave se elevara rápidamente.

Adam continuaba observando a las Nadie, cada vez más cercanas, mientras el globo comenzaba a ascender por oscuros nubarrones. Meneó la cabeza con irritación.

—No puedo creer que haya querido ayudar a esas criaturas —se lamentó.

—No fue culpa tuya —le consoló Sally al tiempo que le daba unas palmaditas en el brazo—. Estabas poseído. Le ocurre a todo el mundo en algún momento de la vida. Me acuerdo de cuando mi madre estaba poseída.

—¿Qué pasó? —preguntó Adam.

—Fue cuando me dio a luz —le contestó Sally entre risas—. Era sólo una broma. En cierto modo fue divertido ver que te comportabas como un loco. ¿Sabes que, aparte de atarnos a unos árboles junto al embalse, trataste de besar a Cindy?

—¡No pude haber hecho algo así! —exclamó Adam con sorpresa—. ¡Ni siquiera poseso!

—Es la pura verdad. Intentaste besarla, y ella no hizo nada para detenerte. Pregúntaselo si no me crees... y si te atreves. De todos modos será mejor que te olvides del asunto; no volveré a mencionarlo si tú no lo sacas a relucir, y dudo de que a Cindy le apetezca hablar del tema. Además, no creo que debas humillarte más de lo que te has humillado.

—Esto no es justo —protestó Adam ruborizado—. Una criatura alienígena secuestró mi cuerpo. No era responsable de mis acciones.

—Entiendo muy bien cómo te sientes —intervino el señor Patton, que tenía el dedo en el gatillo del M16.

Pocos minutos después sobrevolaban los nubarrones, y los tres procedieron a esparcir el polvo. Sally y Adam, que creían en los poderes de la bruja, no pudieron dejar de sorprenderse al ver el rápido efecto del polvo de lluvia; casi de inmediato se produjo un relámpago seguido de un trueno ensordecedor. El zarandeo que sufrió el globo fue tan fuerte que tuvieron que agarrarse a las cuerdas de la barquilla para no caer al vacío. Sólo les faltaba averiguar si el plan había funcionado.

A esa altura les resultaba imposible saberlo con certeza. De momento tendrían que esperar y confiar en que Watch se encontraba bien.

13

Watch no estaba bien, ni mucho menos. En aquel momento se encontraba en la cima del mismo cerro donde Tira había sido poseída, hacía más de un siglo. El cielo se cubría de nubes oscuras, y el sol acababa de ponerse. Tira le susurraba palabras de apoyo mientras una esfera luminosa se acercaba lentamente a él por la derecha. La muchacha le animó a acogerla asegurándole que era una de las mejores del planeta.

—La he reservado para ti —afirmó—. Es un alma amable, que no te causará ningún daño cuando entre en ti; no te desmayarás como le ocurrió a tu amigo.

—¿Por que la llamas «alma»? —preguntó Watch.

—Es sólo una manera de hablar —se apresuró a responder Tira—. Tú tienes tu propia alma y es estupenda. Esta luz sólo viene a enriquecerla; no te hará ningún mal. —Le acarició las mejillas mientras le miraba con fijeza a los ojos—. Me crees, ¿verdad? Ya sabes que nunca te haría daño.

Watch sonrió al tiempo que la contemplaba como hipnotizado. Tenía la impresión de que podía sumergirse en su mirada, y que no sería muy terrible morir de esa manera.

—Claro que creo en ti —aseguró—. Tengo muchas ganas de que esto ocurra. ¿De verdad volaremos hacia las estrellas los dos juntos?

—No inmediatamente —contestó Tira con cierta vacilación—, pero ya verás como muy pronto podremos ir a donde queramos.

De pronto un relámpago cruzó el cielo. Tira se sobresaltó y se agarró a Watch, que advirtió que temblaba.

—Es sólo un relámpago —dijo sin entender su reacción—. No puede hacerte daño.

—No me gusta esto. —Tira meneó la cabeza—. ¿Por qué tiene que estallar una tormenta justo ahora?

—¿Por qué le das tanta importancia? —inquirió Watch con perplejidad—. ¿Acaso no me dijiste que nada podría lastimarte?

Tira se apartó de él, retrocedió un paso y

clavó la vista en la esfera luminosa, que ahora se encontraba a unos quince metros. El viento la arrastraba hacia ellos, de modo que en pocos segundos los alcanzaría. Tira estaba preocupada, pero se esforzó por sonreír.

—Es cierto —concedió—. Dentro de poco serás como yo. Dentro de poco serás invencible. —Se volvió hacia él y le puso una mano en el pecho—. Te gustará, estoy segura.

—Me muero de ganas de ver la cara de mis amigos cuando descubran cómo he cambiado.

Tira se quedó muy seria de pronto y el labio inferior comenzó a temblarle.

—No; no lo entiendes. Eso es imposible. Nunca más podrás volver a estar con ellos. Pensaba que te había quedado claro. Estarás conmigo, sólo conmigo.

—Pero yo quiero seguir viendo a mis amigos. —Watch frunció el entrecejo—. ¿Acaso no dijiste que podría hacer lo que quisiera?

—Harás todo cuanto desees, pero no desearás hacer las mismas cosas que te gustan ahora. Tus deseos serán más puros; habitarás en la luz, como yo, y no necesitarás a tus amigos.

Watch estaba desconcertado.

—Pero si es tan maravilloso fundirse con esta luz, ¿por qué me necesitas? —inquirió.

—No es que te necesite, Watch —respondió Tira, sorprendida por la pregunta—. Sólo trato de salvarte de tu existencia solitaria. —De repente avanzó hacia delante y lo miró con intensidad, como si intentara hacer arder los ojos de Watch con los suyos, no con el propósito de lastimarlo, sino más bien para hacerlo olvidar.

Por un momento, a Watch le resultó difícil seguir pensando en todas las objeciones que se le ocurrían. La esfera luminosa, que ya estaba cerquísima, inundaba todo con su resplandor y su energía; era como un sol en miniatura que surgía por detrás de la cabeza de Tira y la rodeaba como un halo. Sí, pensó Watch, no había motivo para dudar de ella, ya que era su ángel personal y estaba allí para ayudarlo, para salvarlo, como ella había dicho. No era el momento más adecuado para preocuparse por sus amigos. Estaba seguro de que se encontraban bien y que seguirían estando bien sin él.

Justo en ese momento oyó la voz de Cindy y por su tono comprendió que no estaba bien en absoluto, sino aterrorizada.

—¡Watch! —exclamó su amiga desde la falda de la colina—. ¡Apártate de ahí! ¡No permitas que la bola te toque!

Watch rehuyó la mirada hechizadora de Tira y observó cómo Cindy subía corriendo por el cerro, delante de Bryce, que acarreaba una voluminosa caja con cables. De repente un luminoso relámpago sacudió el cielo y acto seguido se oyó un fuerte trueno. Watch no sabía muy bien qué ocurría. Se produjo otro rayo y Tira abrazó al muchacho. La esfera de luz estaba casi encima de ellos.

—Chicos, ¿qué hacéis aquí? —preguntó Watch.

—¡Apártate! —exclamó Bryce—. ¡Apártate de ella! ¡Trata de robarte el alma!

Tira lo agarró con fuerza de la camisa y lo tomó por la barbilla para obligarlo a mirarla. Watch sucumbió de nuevo al poder de su mirada, aunque en aquel momento los ojos de la chica parecían temblar.

—No los escuches, Watch —rogó Tira—. No son capaces de comprender lo que te ofrezco. No tienen ni idea de lo solo que te sientes, en cambio yo sí lo sé.

—¡Watch! —le llamó Cindy mientras se acercaba—. ¡Te está mintiendo! ¡Aléjate de la bola de luz!

Una vez más Watch miró a sus amigos y se sintió partido en dos. No entendía por qué

Tira le decía una cosa y sus compañeros otra muy distinta. A continuación contempló la esfera luminosa que se cernía sobre él e imaginó que su energía se adentraba en él. Parecía muy poderosa.

Sin embargo, de repente comenzó a dudar de que su poder fuera tan benigno como aseguraba Tira.

La miró y señaló la esfera.

—¿Qué es esa luz? —preguntó.

—Un camino para conseguir la felicidad y el poder —respondió Tira.

—¡No! —vociferó Bryce, que ya había alcanzado a Cindy—. ¡Es un alma antiquísima que quiere sustituir a la tuya! ¡Si entra en ti, destruirá todo lo que eres!

Tira se volvió hacia Cindy y Bryce.

—¡Eso es mentira! —replicó a voz en grito—. Una esfera entró en mí y soy mejor que antes. Mi cuerpo no morirá jamás. ¡Puedo hacer todo lo que quiera! ¿Por qué tendría vuestro amigo que dejar pasar esta oportunidad?

Cindy y Bryce por fin llegaron a la cima de la colina. Jadeaban de cansancio, por lo que apenas podían hablar. Contemplaron la bola luminosa que se encontraba encima de ellos y advirtieron que, a diferencia de la que había poseído a Adam, no quería atacar sino que parecía esperar a que Watch se decidiera.

—Aseguras que puedes hacer lo que quieras —dijo Bryce a Tira—, pero ¿puedes irte de este planeta?

—Puedo ir a donde me apetezca —le contestó con cierta vacilación mientras tomaba a Watch de la mano—. Cuando sea como yo, visitaremos las estrellas juntos.

—Bryce me ha contado todo lo que Ann Templeton sabe sobre ti —intervino Cindy—. Aunque vinieras de las estrellas, eres incapaz de regresar a ellas, porque la criatura que poseyó tu cuerpo hace cien años está atrapada aquí, en la Tierra, del mismo modo que ella te atrapó a ti, Tira. Ese ser sólo puede vivir a través de tu cuerpo, y no te ha permitido llevar la vida que se suponía debías llevar.

—¡Eso es mentira! —Tira soltó a Watch de la mano—. ¡Estoy completa! Los mortales sólo pueden vivir en sueños una vida como la mía, que nunca se terminará.

Bryce y Cindy comenzaron a hablar a la vez, pero fueron las palabras de Watch las que despertaron la atención de Tira. El chico le puso una mano en el hombro y ella se volvió para mirarlo.

—No —dijo Watch—. Hay algo triste en ti, ahora me doy cuenta. Lo que has dicho es cierto; normalmente me siento solo. Sin embargo tengo a mis amigos, mi vida y sobrellevo la soledad. En cambio, tú te sientes tan sola como yo aunque esa cosa entrara en ti. Es más, debes de sentirte todavía más sola porque careces de una vida propia y hay algo externo a ti que la controla.

Hubo más rayos y más truenos, y comenzó a llover a cántaros.

Las gotas de lluvia resbalaban por las mejillas de Tira como si fueran lágrimas; quizá lo fueran, Watch no estaba seguro. Empezó a temblar de nuevo y miró alrededor con desesperación.

—Es cierto que una parte de mí nunca ha dejado esta colina —admitió con voz débil—. Nunca la ha abandonado porque quizá muriera aquí. —Miró hacia el cielo tormentoso, donde flotaba la esfera de luz. Un escalofrío le recorrió el cuerpo y luego bajó la cabeza y, mientras la meneaba, susurró—: No importa, Watch. Acepto que no quieras ser como yo. No pienso obligarte, no es mi estilo. Por favor, perdóname por haberte mentido; ta! vez no he sido yo, sino la cosa que me posee. En todo caso, no lo he hecho a propósito. A ti nunca te engañaría. —Acto seguido, dio media vuelta y comenzó a alejarse.

—¡Espera! —exclamó Watch. A continuación miró a sus amigos y les preguntó—: ¿No podemos hacer nada para ayudarla?

—Quizá logremos desembarazarnos de la Nadie que hay dentro de ella —contestó Bryce al tiempo que levantaba los cables de la batería.

Watch se acercó a Tira y la cogió del brazo.

—¡Espera un momento! Deja que intentemos ayudarte.

—Nadie puede ayudarme. —Tira se zafó con gran suavidad—. La energía de esa bateria no conseguiría ni hacerme pestañear. —Echó a reír con cierta tristeza—. Soy inmortal, no hay nada que hacer —añadió antes de girar sobre sus talones para seguir caminando.

Watch avanzó hacia Bryce, cogió los cables de la batería y, al ver destellar un rayo en el cielo, los arrojó por encima de Tira, hacia la esfera luminosa, que seguía flotando sobre el cerro. Los extremos cayeron muy cerca de la cabeza de Tira y casi le rozaron la coronilla.

Entonces un resplandor blanco y cegador rasgó el cielo encapotado y acto seguido estalló un trueno tan fuerte que casi les hizo tambalear. Por un momento ninguno pudo ver ni oír nada. Cuando hubo pasado, observaron que la esfera había desaparecido, al igual que todas las Nadie que flotaban sobre Fantasville. Habían ganado la batalla contra las invasoras. El plan había funcionado.

Pero ¿a qué coste?

Tira yacía en el suelo, hecha un ovillo.

Watch se arrodilló a su lado mientras los otros la incorporaban. Tenía los ojos cerrados y no respiraba; parecía muerta. Watch inclinó la cabeza y rompió a llorar. Los muchachos no sabían a ciencia cierta qué había ocurrido.

Tampoco supieron cómo interpretar el hecho de que Tira abriera los párpados y mirara alrededor con expresión confusa.

—¿Cómo habéis llegado hasta aquí? —preguntó.

—¿Tira? —preguntó Watch con asombro.

—¿Quién eres? —inquirió Tira con una mueca de dolor.

Watch esbozó una sonrisa de oreja a oreja, mucho más brillante que cualquiera de las esferas luminosas.

—¿En qué año estamos, Tira?

—En 1832 —respondió con seguridad—. ¿Cómo conoces mi nombre?

—¿Qué es lo último que recuerdas? —intervino Cindy.

—Estaba aquí, en esta colina, sola, pero no llovía y vosotros no estabais aquí.

—¿Qué hacías? —preguntó Bryce.

—Pues... —Tira vaciló un momento antes de contestar—: Estaba rezando.

—Bien, pues tus ruegos han sido escuchados —repuso Watch con una sonrisa.

Tira había vuelto. Su vida le pertenecía de nuevo.

Después de más de cien años.

FANTASVILLE

Christopher Pike

TÍTULOS DE ESTA COLECCIÓN

1. LA SENDA SECRETA
2. EL AULLIDO DEL FANTASMA
3. LA CUEVA EMBRUJADA
4. LOS EXTRATERRESTRES
5. LOS MONSTRUOS DE HIELO
6. LA VENGANZA DE LA BRUJA
7. EL RINCÓN OSCURO
8. EXTRAÑOS VISITANTES
9. LA PIEDRA DE LOS DESEOS
10. EL GATO MALVADO
11. PASADO MORTAL
12. LA BESTIA OCULTA
13. EL MONSTRUOSO PROFESOR
14. LA CASA DEL MAL

LA SENDA SECRETA
Christopher Pike

Adam Freeman acababa de trasladarse a vivir con su familia a la ciudad de Springville. Sus padres le habían explicado que era por razones de trabajo. Sally le explica que el auténtico nombre de la ciudad es Fantasville, que le venía de las fantasmales y aterrorizadoras cosas que allí sucedían. Adam se junta con Watch y deciden salir a buscar la Senda Secreta, un camino mágico que conduce a otras poblaciones Fantasville. Adam, Sally y Watch entran por la puerta oscura y emprenden el camino por la Senda Secreta. Al final hallan una terrorífica Fantasville llena de serpientes, esqueletos vivientes, terribles caballeros negros...

EL AULLIDO DEL FANTASMA

Christopher Pike

Cindy está jugando junto al océano con su hermano cuando aparece un fantasma y se lo lleva. Ella intenta contar qué es lo que le ha ocurrido a Neil pero nadie se lo cree y no encuentra a quien la ayude. Todo cambia cuando Sally, que cree en los fantasmas, lee en el periódico lo que ha sucedido. Se reúne con Adam y Watch y le prometen a Cindy que le ayudarán a rescatar a su hermano a cualquier precio. Pero lo que nadie conoce es que se trata de un peligroso y decrépito fantasma. Antes que devolverles al hermano de Cindy, estaría dispuesto a convertirlos en fantasmas a todos ellos.

LA CUEVA EMBRUJADA
Christopher Pike

En las afueras de Fantasville hay una famosa cueva de la que se cuentan escalofriantes historias. Adam decide explorar el lugar en compañía de sus amigos Watch, Sally y Cindy. Pero una vez dentro de la cueva, la entrada se cierra. Han quedado atrapados en la más impenetrable oscuridad. Entonces deciden adentrarse en la gruta y buscar alguna salida. Las pilas de sus linternas comienzan a agotarse y descubren que alguien o algo les sigue sus pasos. Algo que ha permanecido en la cueva durante mucho tiempo. Es enorme, negro… ¡y hambriento!

LOS EXTRATERRESTRES
Christopher Pike

En Fantasville cada día suceden cosas más raras. Una noche muy calurosa en la que Adam y sus amigos se hallan junto al pantano, observan de pronto en el cielo unas luces que les recuerdan a los platillos volantes. La noche siguiente, las naves aterrizan. Sus tripulantes tienen un aspecto un tanto peculiar. Sus cabezas son grandes, y sus ojos enormes y oscuros. Y lo que todavía es peor, desean llevarse a Adam y a sus amigos a dar una vuelta por el espacio. Los alienígenas prácticamente les obligan a entrar en los platillos que, de inmediato, emprenden el vuelo.